중국문화 한 권으로 끝내기

중국의 전통문화와 대중문화

중국문화 한 권으로 끝내기

중국의
전통문화와 대중문화

구성회 지음

이담 Books

머리말 ● ● ●

일반적으로 '중국中國'이라고 말할 때, 우리는 그것을 '한국', '일본' 등과 같이 영토와 국민, 주권의 세 가지 요소를 갖춘 국가라는 개념으로 받아들인다. 그러나 '중국'이라는 말이 국가 개념으로 쓰인 것은 그렇게 오래되지 않았다. 즉, 상고시대부터 황하黃河 유역에 도읍을 세운 나라들은 항상 그들이 사는 지역을 '중화中華', '중하中夏', '중원中原', '중국中國'이란 이름으로 불러왔다. 여기에서 '중中'은 '사방의 중앙에 위치한다'는 뜻이므로, 중화는 '사방의 중앙에 위치하여 문화가 가장 빛나는 곳'이란 뜻이며, 중하는 '사방의 중앙에 위치한 대국'이란 의미를 가진다. 그리고 중원은 '사방의 중앙에 위치한 넓은 곳'이다. 따라서 **중국이란 '온 천하 중에서 가장 중심적인 위치에 있으면서 문화가 가장 발달된 지역'이란 뜻을 가지고 있다.** 이처럼 중국인들은 고대로부터 중국이라는 단어를 공식적인 국가 명칭으로 사용한 적은 없었다. 다시 말하면 그들은 **중국이라는 단어를 하나의 국가 개념으로서가 아닌, 어떤 훌륭한 문화를 형성하고 있는 문화적 범주로 인식했던 것이다.**

중국인들은 고대로부터 자신들의 주변에 살고 있던 민족들에 대한 문화적 우월성을 내세웠기 때문에, 상대적으로 그들의 주변에 있는 민족들을 사이四夷(예전에 중국 사람들이 야만족으로 여기던 사방의 이민족, 곧 동이東夷, 서융西戎, 남만南蠻, 북적北狄을 통틀어 이르던 말)라고 낮추어 불렀다. 황하 유역을 중심으로 그 동쪽에 있는 민족을 동이, 서쪽에 있는 민족을 서융, 남쪽에 있는 민족을 남만, 북쪽에 있는 민족을 북적이라 부르면서 자신들의 문화적 자부심을 드러냈던 것이다. 사실 처음에는 '사방의 중앙'이라는 개념도 황하를 중심으로 한 일부 지역에 불과했던 것이 유구한 세월에 걸쳐 그들의 국경이 점차 확대되면서 그 의미도 점차 세계의 중앙으로 확대되어 나간 것이다.

중국이라는 단어가 국가 개념으로 사용된 것은 1911년 10월 10일 신해혁명辛亥革命의 성공으로 세워진 중화민국中華民國에서부터 시작된다.

중국은 예로부터 문화대국임을 강조하고 있다. 사실 그들만의 주장이 아니라 중국이 상품화할 수 있는 원천자원으로서 문화자본이 풍부하다는 것은 부정할 수 없는 사실이다. 자신들이 보유한 문화자본을 활용해서 문화 상품화하는 것은 경제발전을 추진하고 있는 중국으로서는 자연스러운 수순이고 최선의 길이기도 하다. 더욱이 중국은 2008년 북경올림픽 개막식에서 보여준 문화행사를 통해 문화대국으로서 중국의 가치를 세계에 널리 알리기도 했다.

중국은 역사·지리적으로 한국과 인접하여 매우 친숙한 나라이지만 1949년 중국이 신중국新中國을 건국한 이후 사회주의 계획경제를 걸으면서 잠시 교류가 주춤하기도 했다. 하지만 1978년 중국이 개혁개방을 선포하여 중국 경제는 놀라운 속도로 발전하였다.

한국과 중국은 1992년 수교 이후, 선린우호 협력관계에서 2003년 이후 전면적 협력관계로 발전하고 있다. 한중수교 10주년인 2002년에 이미 양국은 상호 3대 교역국가로 부상하였고, 지금은 우리나라의 제1 투자 대상국이자 제1 교역국이 되었다. 한편 한국과 중국은 경제뿐만 아니라 사회·문화·교육 등 다방면에서 교류가 확산되고 있다. 특히 최근 몇 년 사이 한국의 대중문화가 '한류韓流' 열풍을 일으키고 있으며, 한국에서도 중국 붐이 일어나고 있다.

이러한 흐름 속에서 최근 중국을 소개하는 책들이 쏟아져 나오고 있는데 대다수 책들이 중국 경제·경영 분야이거나 정치학 및 역사

학 관련 연구서들이다. 이 중에는 물론 중국 문화를 소개하는 전문
서적들도 많지만, 이들 대부분은 중국의 전통문화에 대한 소개에 치
우치고 있다. 이에 중국의 전통문화와 현대대중문화를 전면적으로
소개한다는 취지에서 이 책을 저술하였다.

　　이 책은 총 16장으로 중국 전통문화에 대한 내용에서부터 중국
현대대중문화까지 폭넓게 소개하고 있어, 중국통사뿐만 아니라 중국
문화사와 중국 대중문화를 강의할 때 매우 유용한 교재로 활용할 수
있도록 편집하였다.

　　많은 사람들이 이 책을 통해 중국 전통문화와 중국 현대대중문화
를 이해하는 데 도움이 되었으면 한다.

2014년 1월

구성희

목 차

제2부 중국의 현대대중문화

◆ 중국역대왕조표 中國歷代王朝表

B.C.1800-B.C.1100	B.C.1121-B.C.770	B.C.770-B.C.255	B.C.454-B.C.221
殷(은) -------------	西周(서주) ----------	東周(동주) ---------	戰國時代(전국시대)
			(동주시대부터 춘추시대 시작)

B.C.221-B.C.206	B.C.206-A.D8	A.D8-220	220-581
秦(진) -------------	西漢(서한) --------	東漢(동한)------------	魏晉南北朝(위진남북조)

581-618	618-907	907-960	960-1279	1260-1370	1368-1644
隋(수) ------	唐(당) ------	五代10國 ------	宋(송) ------	元(원) ------	明(명)

1616-1911	1911.10.10-	1949.10.1-
淸(청) -------	中華民國(중화민국) ---------------	中華人民共和國(중화인민공화국)

◆ 중국에 대한 공간·시간·인간개념

‘중국’이란 말은 본래 한 나라 이름이 아니라, ‘가장 가운데 있는 문화가 제일 발달된 지역’이란 뜻으로 사용되었다고 한다. 그러한 뜻에서 ‘중화中華’란 말도 쓴다고 하였다. 옛날 중국 사람들(그 중심을 이루고 있는 한족漢族들)은 ‘하늘 밑에 있는 모든 땅은 중국 천자天子의 땅이 아닌 것이없고, 온 세상에 사는 사람들치고 중국 천자의 신하가 아닌 자가 없다’고 생각하여, 온 세상이 모두 중국이라는 지역을 중심으로 하여, 중국의 정치적·문화적인 지배를 받는 것이 당연한 것으로 생각하였다. 이러한 생각을 ‘천하일통天下一統’사상 또는 ‘중화중심中華中心’사상(또는 줄여서 ‘중화’사상)이라고 말한다.

이러한 사상이 전한前漢 때 유교儒敎가 국교國敎(국가의 학문)로 될 때부터 형성되기 시작하여 적어도 2000년 가까이 청淸나라가 붕괴될때까지는 지속되었다. 그러나 서양에서 근세에 들어와서 형성된 국가(nation)라는 개념에는 국토, 국민, 주권 세 가지 요소를 기본요소로 규정하고 있다. 서양의 여러 나라는 그들의 근대화된 무력을 앞세우고 나와서, 러시아는 북쪽에서, 인도와 네팔을 점령하였던 영국은 서쪽에서, 월남을 점령하였던 프랑스는 서남쪽에서, 또 일찍이 해상항로를 개척하였던 포르투갈·네덜란드·영국 같은 나라들은 남쪽 해안과 섬으로 쳐들어와서, 위와 같은 '중화'사상을 부인하고, 일방적으로 중국에 대한 국경선을 확정하거나, 중국 땅의 일부를 자기들의 영토로 만들어버리는 난폭한 침략행위를 자행하였다.

중국의 지식인들 중에 개화된 사람들은 중국이 서구열강의 무력 앞에 살아남기 위하여서는 위와 같은 막연한 '중화'사상에 집착할 것이 아니라, 중국도 영국이나 미국과 같은 하나의 '국가'라는 의식을 분명히 하고서, 그들이 수천 년 동안 터전으로 삼아 살아온 지역을 지켜야 되겠다는 생각이 대두되었다. 이러한 생각을 '국민주의(nationalism)'라고 하는데, 그것을 구체적으로 나타낸 조직이 국민당國民黨이며, 국민당이 세운 나라가 곧 중화민국中華民國이었다. 지금 대륙에는 중화인민공화국中華人民共和國이라는 나라가 있지만, '국민주의'의 맥락에서 보면, 중화민국이나 다를 바 없다.

현재의 중화인민공화국과 중화민국의 영역은 만리장성 이남의 중국 본부와 만주, 내몽고, 신강, 티베트, 대만을 포괄하고 있다. 그런데 이 넓은 지역에는 한족만이 살고 있는 것이 아니라, 언어와 풍습, 습관, 혈통이 다른 56개의 여러 민족이 살고 있다. 그중에서도 대표적인 것이 만주족, 몽고족, 위구르족, 티베트족 같은 종족들로 그들 중에는 역사상 중국 본부를 점령하고서 그들의 왕조를 세워 한족을 통치한 경험을 가진, 말하자면 중국 역사의 주역을 담당하였던 종족도 있다. 그러나 원래 황하유역에서 농경문화를 발전시켰던 한족들이 일찍부터 한자漢字라는 서사書寫체계를 완성하여 문자의 기록을 가짐으로써 세계 역사에서도 거의 볼 수 없는 찬란한 문화를 꽃피웠고, 그 문화를 바탕으로 한족의 힘도 크게 신장되어, 오늘날에 이르기까지 역사적으로나 지역적으로나 숫자적으로나 단연코 세계에서 우수한 문화민족이 되고 있다.

제1부

중국의 역사와
전통문화

1장

중국 역대왕조의 역사

중국에 대해 아는 척하거나 중국학을 전공하는 학생들에게 중국통사를 읽었는지 물어보면 고개를 숙이는 경우가 많다. 중국의 역사를 모르면서 어떻게 현대 중국을 이야기할 수가 있을까? 사회주의 중국은 아닌 밤중에 홍두깨처럼 하늘에서 떨어졌겠는가? 무늬만 다를 뿐 내재하는 역사적 맥락은 은은하게 흘러간다. 그 때문에 중국학을 공부하는 학생들뿐만 아니라 중국을 알고자 한다면 우선 중국 역사를 공부하고 알아야 할 것이다. 중국 역사를 통해 중국인들의 현재의 삶을 이해하고 중국인들의 미래까지도 예측할 수 있도록 말이다.

중국 문화는 유구한 역사적 토양에서 형성된 것이라 중국 역사에 대한 이해가 깊으면 중국 문화도 그만큼 잘 보인다. 마찬가지로 중국 역사에 대한 이해는 '변검變臉(눈 깜짝할 사이에 얼굴의 가면을 바꾸는 기술. 중국에서 전통적으로 내려오는 천극의 레퍼토리 가운데 하나)'처럼 시시각각으로 변화하는 오늘날의 중국의 진면목을 파악하는 데도 긴요하다. 지금의 중국 역시 하루아침에 만들어진 것이 아니라 자신들의 역사적 전통에 일정 정도 '뿌리'를 내리고 있기 때문이다.

그러나 중국 역사를 간명하게 이해하기란 결코 쉽지 않다. 중국은 오천 년 넘는 역사적 두께를 지닌 나라이기 때문이다. 따라서 이 장에서는 중국 고대부터 현대까지 시대별로 주요한 역사적 흐름을 정리하고 간략하게 시대적 특징을 설명하고자 한다.

은상殷商시대

현재 역사적으로 확인되는 중국 최초의 왕조는 은(또는 상商나라)나라이다. 주周나라의 무왕武王에게 멸망하기까지 31대 약 6백여 년에 걸쳐 중원中原을 지배하였다. 하남성河南省을 중심으로 하는 화북華北 일대에서 번성했으며, 수도는 은허가 발굴된 하남성 안양현安陽縣 일대이다. 한자의 초기 형태인 갑골문자甲骨文字(거북의 등딱지나 짐승 뼈에 새긴 은나라 때의 상형문자象形文字. 현재 남아 있는 가장 오래된 중국의 문자로, 주로 점복占卜의 기록에 사용하였다)를 사용했으며, 제사용으로 청동기를 사용할 정도로 문화수준이 높은 국가였다.

은나라는 갑골문자에 은성殷城으로 기록되어 있으며, 성벽을 두른 읍邑을 기본구조로 하는 읍제국가였다. 또한 은나라는 제사권을 장악한 은왕을 중심으로 하는 신권통치神權統治(갑골에

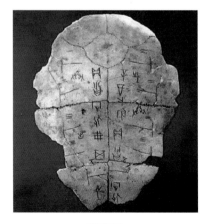

갑골문자

의한 점)를 펼쳤으며, 청동기 문화가 고도로 발달한 시기였다. 은나라 이후에는 주周나라가 등장하게 되는데, 주나라는 은나라와 동일한 읍제邑制국가를 이루었으며, 양자강 유역까지 지배를 확대하고 고도의 청동기 문화를 이루게 된다.

한편 주 왕조는 국가의 기틀을 구축하기 위해 봉건제도封建制度를 실시하였다. 즉, 국가의 결속을 공고히 하기 위하여 혈연에 기반을 둔 종법宗法제도를 봉건제도에 도입하였다. 즉, 중앙에 왕실이 있고, 그 일족의 자제를 각지의 제후諸侯로 봉하여, 왕실을 지키게 하는 제도로, 본디 제후는 동성同姓만이 아니고, 혈연관계가 없는 이성異姓의 제후도 있지만, 왕실은 이들과도 혼인관계를 맺어 동성同姓의식을 갖도록 하였다. 이 때문에 천자와 제후는 친자형제親子兄弟의 관계에 있고, 천하는 일가一家라고 하는 '대가주의大家主義'의 정신을 지배의 원리로 하였다.

주의 봉건제도는 내면적으로는 종법제도를 통해 혈연적 유대에 의탁하면서도 외면적으로는 조공朝貢을 통해 철저한 군신君臣관계를 확립했던 정치제도였다고 할 수 있다. 그러나 이러한 봉건제도는 커다란 약점이 있었다. 창립의 초기는 좋았지만, 세대世代가 흘러감에 따라 혈연의식이 희박해져 간다는 치명적인 약점이 있었다. 그렇게 되자 종래의 혈연의 원리보다 힘의 원리가 점차로 지배하게 되었다. 실력본위實力本位가 되면 힘이 강한 자가 승리하는 것은 당연하다. 강력한 제후는 천자를 능가하고, 그 제후의 나라에서도 유력한 신하는 군주를 능가하게 된다고 하는 소위 하극상下剋上의 현상이 생겼다. 이와 같은 주나라도 서융西戎이라는 유목민족의 침입을 피해 기원전 770년에는 동쪽 낙양洛陽으로 천도했다. 동쪽으로 옮겨갈 때까지를 서주西周라 하고, 그 이후를 동주東周라고 한다. 동주시대에는 국력이 쇠약하여 각 제후에게 실권을 빼앗긴 채 명목만 남은 국가가 되었다.

춘추전국春秋戰國시대

춘추전국시대는 주 왕실의 동천東遷(B.C. 770~)에서 진秦나라의 진시황秦始皇에 의한 중국 통일(B.C. 221)까지 약 550여 년간을 말한다. 또한 춘추전국시대는 '춘추시대春秋時代(B.C. 770~B.C. 453)'와 '전국시대戰國時代(B.C. 454~B.C. 221)'로 양분할 수 있는데, 춘추시대의 명칭은 공자孔子가 저술했다고 하는 『춘추春秋』에서 유래한 것이고, 전국시대의 명칭은 전국시대의 사실을 기록한 『전국책戰國策』에서 유래하였다.

춘추시대에 강대국으로 성장하여 주도권을 겨루던 제후왕은 대체로 다섯을 들 수 있다. 이들을 춘추5패春秋五覇라 부른다. 중국 고대의 전적典籍에 보이는 다섯 패자覇者(춘추전국시대, 제후의 우두머리)는 일치하지는 않지만 제齊나라의 환공桓公, 진晉나라의 문공文公, 초楚나라 장왕莊王, 오吳나라 합려闔閭와 월越나라 구천勾踐이다.

제환공   진문공   초장왕

오왕 합려   월왕 구천

전국시대에는 7웅雄이라고 불린 제후, 즉 한韓, 위魏, 조趙, 제齊, 연燕, 초楚, 진秦나라가 정치를 전담하는 시대가 시작된다(이들을 '전국칠웅 戰國七雄'이라 한다). 이러한 춘추전국시대의 나라들은 모두 주 왕실의 제후들이었으나 당시 정치가 문란해서 주 왕실의 위력이 제후들에게 미치지 못했다.

춘추시대와 전국시대의 차이점은 다음과 같다. 춘추시대의 사회 구조를 보면, 제후諸侯, 경卿, 대부大夫, 사士 등의 지배귀족이 성읍을 장악하고 모든 토지를 규제하여 군림하고 있었으며, 피지배계층이었던 평민과 천민은 성읍의 일부 또는 주변에 거주하면서 지배귀족의 지배하에 농경에 종사하고 있었다. 그리고 이 당시에는 지배귀족이었던 경, 대부, 사는 물론 피지배계층이었던 평민 및 성읍 자체까지도 강력한 씨족공동체의 규제 아래 있었다.

그러나 춘추 중기 이후부터 점증하는 각국 간의 대립과 항쟁, 그리고 우경牛耕(소를 이용한 경작)의 발명과 철기의 보급 등으로 인한 농업생산 기술의 진보와 발전은 급속한 사회 경제상의 변화와 발전을 야기하였는데, 이 같은 현상은 전국시대에 진입하면서 더욱 가속되었다. 그리하여 종래의 씨족공동체가 급속히 해체되면서 자작의 소농민층이 광범위하게 형성되고, 수공업은 농업에서 분리되어 독자적인 발전을 추구하고, 수공업 발전을 기반으로 한 상업이 대대적인 발전을 하게 되었다. 그리고 이 같은 사회 경제상의 변화와 발전은 전국시대의 각국이 '주권영토국가主權領土國家'로 변모, 전환하고 각국의 군주가 '전제군주화專制君主化'하는 추세와 병행하여 춘추시대와는 성격이 전혀 다른 새로운 사회를 형성하게 되었다.

전국시대의 군주를 중심으로 형성된 지배계층을 살펴보면, 춘추시대의 지배계층과는 완전히 상이하였다. 전국시대에는 각국이 영토국가로 변모하고 각국 군주는 군주권 확립을 위해 가일층의 노력을 했다. 각국의 군주는 자신의 주변에 유능한 비혈연의 인재들을 등용하기 시작하였는데, 이들이 '사인계층士人階層'이다.

전국시대의 군주근친의 관료들은 소수에 지나지 않았고, 관료의 주류를 이루었던 것은 비혈연 출신의 관료들이었는데, 이 비혈연의 관료들은 대부분이 사인계층 출신이었다. 사인계층은 춘추시대 말기부터 형성되기 시작하였는데, 그 출신과 성분을 살펴보면 몰락한 귀족의 자손 및 농민, 상공인 집안 출신이 대부분이었다. 이들은 농경이나 상공업 등의 생산업에 종사하지 않고 각국에서 임용되어 관리가 되는 것을 목적으로 하였기 때문에 오로지 개인의 학문과 수양, 그리고 신지식 습득에 몰두하였다. 그리고 자신이 학문과 지식을 배경으로 각국의 국경을 자유로이 드나들면서 권력자와 접촉하고 고위高位(높은 지위)와 후록厚祿(후한 급료)을 구하였다. 또 일부는 전국난세를 종식시키고, 새로운 세계를 수립하려는 정치적 이상을 추구하기도 하였다. 그러므로 전국시대에는 이들 사인계층이 더욱더 확대되었다.

전국시대에 역사적으로 가장 중요한 역할을 하였던 계층은 군주에게 임관하여 국가발전과 군주권 확립에 헌신하고 정치, 외교에 종횡무진으로 활약하였던 사인들이었다고 할 수 있다.

또한 춘추시대부터 발달하여 온 상공업은 전국시대에 계속 발전하였으므로 전국시대는 상공인계층이 확고하게 하나의 사회계층으로 형성되었다. 전국시대에 가장 발전하였던 업종은 농경에 필수적이었던 농구와 생필품의 공구제작의 재료였던 철을 생산하였던 야철업자, 식생활에 필수적이었던 제염업자 그리고 방직업자를 들 수 있다. 이들은 민간의 대수공업자로서 수백의 노예와 빈민 및 형도들을 사역하여 대규모의 민영수공업을 경영하였으며, 그 부는 왕王과 비견될 정도였다.

이와 같이 전국시대는 각국의 대립항쟁, 우경과 철제농구의 보급, 상공업 발달로 사회 경제상의 변화와 발전 등이 급진적으로 신행되는 과정에서 종래의 씨족공동체가 와해되고, 전제군주의 지배하에 관료를 포함한 지배계층, 사인계층, 소농민층, 수공인 및 상인계층으로 사회가 구성되었다.

한편 기원전 500년부터(춘추시대) 기원전 250년에 이르는 기간은 제자백가諸子百家의 전성시대이다. 이들은 제자들과 함께 각국을 돌아다니며 유세를 하였다. 대표적인 유파로는 유가儒家, 도가道家, 묵가墨家, 법가法家, 음양가陰陽家, 명가名家, 종횡가縱橫家, 농가農家, 병가兵家 등이 있다. 이들은 의기투합하면 봉건제후의 정치고문이 되거나 외교관의 역할을 하였다. 이같이 춘추전
국시대와 같은 전환의 시대에는
인간으로 하여금 새로운 대응책
을 강구하게 만든다. 그 때문에
중국 역사상 대전환의 시대마다
새로운 사상운동이 전개되었지
만, 춘추전국시대의 '제자백가'
로 알려진 지식인들에 의해 전개
된 운동은 중국 최초의 지적 운
동이었다.

공자

춘추전국시대에는 현재 사용하고 있는 한자 숙어漢字熟語의 대부분
이 만들어지기도 하였으며, 잦은 전쟁과 사회적인 혼란이 가중되는
시기였다.

진한秦漢시대

지금으로부터 2천여 년 전, 전국시대의 7웅戰國七雄, 즉 진秦나라·초楚
나라·제齊나라·연燕나라·한韓나라·위衛나라·조趙나라가 패권을 다
투던 중국의 역사는 진秦나라의 진시황제秦始皇帝가 B.C. 221년에 여
섯 나라를 통일하면서 새로운 시대에 진입하게 된다. 진나라는 섬서
성陝西省 위수유역에 자리 잡고 있어 농사에 유리한 천혜의 조건을
갖추고 있었다. 또한 백성들은 하나같이 용맹스럽고 진취적인 기상
을 지니고 있었다.

진시황 영정嬴政은 중국 역사상의 위대한 인물이다. 6국을 멸하여 장기적인 전란기인 춘추전국시대春秋戰國時代를 종식시켜 중화민족의 통일을 실현하였다. 진시황은 천하통일 후에 봉건제도를 폐지하고, 군현郡縣을 설치하였다. 또한 문자·도량형·화폐 등의 통일과 만리장성을 수축하여 막강한 제국을 창건하였다. 그러나 진시황은 중국 역사상의 폭군으로 기록되었다. 그의 지칠 줄 모르는 권력과시욕은 결국 진의 몰락을 재촉하였다. 백성들은 오랜 전란이 그치고 통일의 그날이 오면, 기쁜 노래를 부르며 농사에 전념하는 평화로운 시대가 오리라고 믿었을 터이나, 그러한 날은 오지 않았다. 여산릉廬山陵·병마용·갱兵馬俑坑·아방궁阿房宮 그리고 만리장성萬里長城과 전국 도로의 건설, 게다가 변방의 수비에 동원되어야 했다. 그 엄청난 노역과 세금, 혹독한 법으로 백성들의 생활은 엉망이 되었다. 또한 진시황은 분서갱유焚書坑儒(진시황은 학자들의 정치비평을 막기 위해 분서焚書, 즉 4서 6경四書六經을 불태워 없애도록 지시했다. 이에 관리들이 집집마다 다니면서 제자백가에 관련한 장서들을 압수하여 태워버렸다. 그러나 이 사건은 지식인들의 반감을 불러일으켜 많은 유생儒生들이 암암리에 불만을 표출하기에 이르렀다. 진시황은 유생들이 뒤에서 자신을 비판한다는 말을 듣고 매우 화가 나서 불평불만자들을 색출하도록 지시했다. 결국 460명의 유생들을 체포하여 모두 생매장坑儒했다. 이 사건 모두를 우리는 분서갱유라 한다)를 단행하여 충성스러운 인재들을 박해함으로써 진나라를 인간지옥으로 만들었다. 마침내는 농민들의 봉기가 일어나고 통일한 지 겨우 15년 만에 멸망하는 단명왕조가 되었다.

진시황秦始皇   진시황의 병마용갱兵馬俑坑

분서갱유焚書坑儒

그러나 진시황은 동서양을 막론하고 역사상 가장 강력한 권력을 가졌던 군주다. 그는 최초로 중국을 통일했다. 이 말에는 여러 가지 의미가 담겨 있다. 그것은 단순한 영토적 통일이 아니라 오늘날의 통일국가로서의 중국이 성립될 수 있는 여러 가지 개념을 포함하고 있다. 즉, 중화中華라고 할 때 중국인들의 자부심 이면에는 진시황에 의해 통일된 국가의 위대한 힘이 도사리고 있는 것이다. 현재 차이나(China)라는 영어 이름도 진(Chin)에서 기원한 것이다.

중국 역사의 주류를 이루고 있는 '한족漢族'은 기원전 2세기경에 등장한 한漢나라(B.C. 206~A.D. 220년)에서 그 기원을 찾을 수 있다. 유방劉邦과 항우項羽의 초한전楚漢戰 끝에 기원전 202년에 한나라의 고조高祖 유방은 숙적 항우를 해하垓下에서 격파하고 장안長安에 도읍을 정하여 통일된 왕조를 세웠다.

유방劉邦(B.C. 256~B.C.195)의 아명은 유계劉季이고, 패군沛郡 풍읍豊邑(지금의 강소 풍현) 사람으로, 한漢의 개국황제로 중국 역사상 가장 유명한 황제 중의 한 사람이다. 그런데 이렇게 한나라 400년 역사의 기반을 연 개국황제 유방은 사실 저잣거리 출신 무뢰한이자 건달이었다. 그의 문예는 관리가 될 만한 것이 못 되었고, 무예 역시 성을 공격해 토지를 빼앗을 정도가 못 되었다. 그러나 그에게는 사람을 알아보고 다스릴 줄 아는 능력이 있었다. 장량張良, 한신韓信과 같이 당대에 견줄 사람이 없는 걸출한 인재들을 자신에게 복종하게 만들었고, 사람들로 하여금 남보다 한 수 위인 자신의 통치능력에 탄복할 수밖에 없도록 만들었다.

유방과 항우項羽와의 최후의 패권쟁탈전은 참으로 비장한 전쟁이었다. 최후의 승자 유방이 제위에 올라 한 왕조漢王朝를 세우니, 그가 바로 한고조漢高祖이다. 농민 출신이었던 유방은 개인적으로 항우보다 뛰어나지는 못했지만, 자신의 힘을 과신하지 않고 수많은 인재를 활용했으며, 감정에 휘말리지 않고 언제나 현실을 직시함으로써 마침내 황제의 지위에 오르게 된 것이다.

고조 유방부터 시작해서 일곱 번째 황제인 한무제漢武帝는 54년 동안 황위에 있으면서 황제를 정점으로 중앙집권적 관료국가를 실현하고 중국 역사상 불멸의 치적을 남겼다.

한무제의 위대함은 화려하고도 태평스러운 시대를 만들어냈다는 데 있다. 한나라 창업 70년, 이미 기반이 안정된 한 왕조를 계승한 무제는 50여 년 동안 이를 더욱 발전시켰다. 군사와 정치·외교·경제·문화 등 모든 면에서 그야말로 현란한 시대가 되었다.

그의 치세 동안 이러한 발전을 가능하게 했던 주요인은 한무제의 인재선별 능력이었다. 사실 제왕들 곁에는 많은 인재들이 모여들게 마련이다. 자신들의 성취욕을 위한 이 수많은 인물들은 까마귀 떼처럼 권력에 모여드는 것이다. 그러니 무제 곁에 앞서거니 뒤서거니 모여드는 것은 당연한 일이다.

정작 황제의 능력은 그때 발휘된다. 지혜롭고 능력 있는 황제는 그들을 철저히 분석하고 평가하여 자신의 신하로 삼는 것이다. 한무제가 그런 사람이다. 그는 사람을 보는 눈이 뛰어났으므로 능력에 따라 인재를 등용했다.

그 결과의 한 단편이 동중서董仲舒이다. 무제는 동중서를 발탁한 뒤 그의 의견을 받아들여 유교를 국교國敎로 삼았다. 유교는 이후 2천여 년의 유교통치 시대를 중국 천지에 열었다.

무제는 국력이 강력해짐에 따라 한고조부터 유지해온 흉노匈奴에 대한 '화친和親정책'을 버리고 무력으로 국경을 지켰다. 또한 한무제는 유목민족인 대월지大月氏국과 연합해서 흉노를 협공하자는 제의를 하기 위해 장건張騫을 대월지국에 파견하기도 했다. 그러나 장건은 중간에 흉노에게 붙잡힌다. 10년 만에 기회를 틈타 겨우 탈출하지만, 다시 붙잡혀 결국 13년 만에 한나라로 돌아온다. 장건의 이 여행에 의해 서역西域 사정이 중국에 알려지게 되고, 이로 인해 중국과 서역과의 교통도 왕성해지게 됐다. 이른바 '실크로드Silk Road'를 따라 동서의 문물이 교류하게 된 것이다. 한무제는 전대 황제들이 쌓아놓은 탄탄한 국력을 기반으로 태평성세를 구가했다. 학술과 문화 방면에서도 눈부신 발전이 있었으며, 정치·군사·경제상의 발전 또한 심대하여 이후 중국의 토대가 되었음은 부정할 수 없는 일이다.

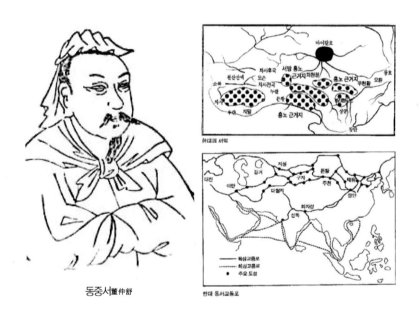

동중서董仲舒

한대의 서역

한대 동서교통로

한나라는 400여 년간 전한前漢(서한西漢)시대와 후한後漢(동한東漢)시대를 거치면서 중국 역사의 기틀을 공고히 세우게 되었다. 당시 외국에서 한족의 병사들을 한족漢族이라고 부르게 되었는데, 후에는 한나라 사람들을 일반적으로 가리켜 한족이라고 부르게 되었다고 한다. 실상 한족은 한나라시대를 시작으로 중국 역사의 주역으로서 주류민족을 형성하게 된 것이다.

한나라시대에는 유교를 정치체제의 표본으로 삼았고, 종이와 지진계를 발명하는 등 여러 가지 과학적인 진보가 이루어졌다. 그러나 무제를 정점으로 하여 점차 쇠퇴하기 시작하였다.

전한의 선제宣帝 이후 즉위한 원제元帝·애제哀帝·평제平帝 등은 어린 황제 아니면 혼군昏君이었으므로 외척이 점차로 황제를 대신해 중앙정치를 휘두르게 되었다. 그 결과로 전한제국은 나날이 쇠약해져 갔으며, 이러한 혼란을 틈타 외척 왕망王莽이 결국 전한정권을 탈취하여 신新왕조를 개창하였다.

그러나 왕망의 개혁은 근본적인 사회모순을 개혁하지 못했을 뿐만 아니라 도리어 사회의 위기만을 조성하여, 적미赤眉와 녹림綠林으로 대표되는 농민반란이 전국을 휩쓸었다. 그 결과 왕망의 신新왕조(8~23)는 불과 15년 만에 마치 유성과 같이 역사상에서 사라지게 되었다.

왕망王莽

당시 전국에서 봉기군이 난립하자 각 지방의 호족들과 지주들도 다투어 무장을 했다. 이들 대부분은 자체 방위를 위해 성을 쌓기도 하였고 다른 봉기군과 연합하기도 했다. 이들 가운데 남양 출신 호족으로 한 왕조의 핏줄을 이은 유연劉縯, 유수劉秀 형제가 거느린 부대가 가장 강력하였다. 이후 유수는 차근차근 녹림군과 적미군을 소멸시킴으로써 농민봉기의 성과들을 독차지하면서 유씨 왕조를 재건하였다.

유수가 건국한 한 왕조는 '후한後漢' 혹은 '동한東漢'이라 부르며, 유수는 후한의 광무제光武帝가 되었다. 광무제 유수는 후한 왕조의 초대 황제다. 광무제 유수는 전국을 평정하고, 도읍을 낙양에 정했다.

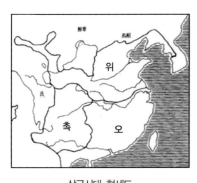
삼국시대 형세도

후한 말년 환관宦官이 득세하고 정치가 부패하여 184년 황건黃巾의 난이 일어나고 위魏, 촉蜀, 오吳로 천하가 삼분된다. 220년 조조曹操의 아들 조비曹丕가 한헌제漢獻帝(189~220)를 폐위시키고 제위에 오르면서 후한은 완전히 멸망하였다.

위에서 살펴본 바와 같이 기원전 221년 진시황이 중국을 통일하였다. 그러나 진나라는 겨우 15년 만에 멸망하였다. 이어서 항우와 유방의 다툼에서 유방이 승리하여 기원전 202년 유방이 천하를 통일하여 한나라를 세웠다. 이리하여 진한제국이라는 통일제국이 전후 400여 년에 걸쳐 존속하게 되었다. 진한제국의 출현은 그 후 2000년에 걸치는 중국의 국가구조와 정신문화의 기본적 형태를 규정하는 극히 중요한 의미를 갖고 있다. 즉,

'황제제도皇帝制度'와 거기에 따르는 '중앙집권적中央集權的 관료제官僚制' 및 '군현제郡縣制', 정치사회의 지도이념으로서의 '유학의 관학화官學化(유교의 국교화)'가 이후 2000년에 걸쳐 중국의 역사를 관통하게 된다.

물론 이것은 이후 중국 사회가 아무런 발전도 없이 정체하였다는 뜻은 아니다. 중국의 사회, 경제, 문화는 시대와 더불어 변화·발전하였으나, 그 근저에 있는 기본적 특징은 2000년간 존속되었다.

한대漢代는 그 기본적 특징이 확립되었다는 데에 중요한 의의를 갖는다. 사상사에서도 유학이 제자백가諸子百家 중에서 정치적 우위에 서서 정통적 지위를 점하게 된 것 역시 한대부터이다.

근대 이전에 동아시아는 하나의 완결된 세계를 구축하고 있었다. 중국은 정치적·문화적으로도 그 중심이었다. 그러면 동아시아 세계에서 진한제국은 어떠한 의미를 갖는 것인가.

진한제국秦漢帝國의 출현은 중국을 중심으로 하여 한국, 일본, 월남으로 이루어지는 동아시아 세계가 형성되는 단서가 된 것이다. 따라서 진한제국의 성립은 세계사적으로도 중요한 의미를 갖고 있다.

| 한고조 유방 | 한무제 | 광무제 유수 |

위진남북조魏晉南北朝시대

삼국시대는 조조의 위나라(220~265, 조씨 5대 46년, 수도 낙양洛陽), 유비劉備의 촉나라(221~263, 유씨 2대 43년, 수도 성도成都), 손권孫權의 오나라(229~280, 손씨 4대 59년, 수도 남경南京)가 대립하는 시대다. 이 시기에는 유명한 제갈공명諸葛孔明[제갈량諸葛亮(181~234)의 자는 공명孔明이고 전한前漢 말 사예교위(치안국장) 제갈풍諸葛豊의 후예로 낭아琊邪에서 태어났다. 제갈량의 어린 시절은 그렇게 순탄하지 못했다. 어머니는 동생 균을 낳고 얼마 후 제갈량이 9세 되는 해에 별세하였고, 아버지도 제갈량이 14세 되던 해에 세상을 떠났다. 아버지가 세상을 떠나자 제갈공명보다 7세 많은 형 제갈근은 계모를 모시고 오나라로 가서 손권의 수하가 되었다. 그러나 제갈량은 동생 제갈균과 함께 숙부 제갈현諸葛玄이 살고 있는 형주로 가서 살았다. 그 후 숙부마저 전쟁으로 세상을 떠나자 제갈공명은 하는 수 없이 형주 양양襄陽 교외의 융중산隆中山 근처에서 초막을 짓고 살면서, 맑은 날이면 밭을 갈고 비가 오면 책을 읽으면서 세월을 보냈다. 비록 이렇게 은둔생활을 하고 있었으나 오래지 않아 제갈량의 재능은 입에서 입으로 전해졌고, 그는 형주의 뛰어난 인물로 두각을 나타냈다]의 출사표出師表가 등장하는 때이기도 하다.

중국 역사에 있어서 조조曹操(155~220)는 줄곧 한나라를 탈취한 인물로서의 배역을 맡고, 유비劉備(161~223)는 한족 출신으로 일생을 적과 끝까지 항쟁하는 인물로 설정되어 있다. 조조는 원래 백 년에 한 명 있을까 말까 한 뛰어난 인물로 그 세력 또한 막강하다. 그런데 유비는 조조의 세력에 눌려 있으나 반드시 이를 떨치고 일어날 사람으로 보인다. 이로 인한 정황은 갈수록 얽혀 마침내 물불을 가릴 수 없는 지경에까지 이르게 되니, 이것이 바로 『삼국지三國志』가 방대한 독자층을 끄는 힘인 것이다.

조조의 자는 맹덕孟德, 어릴 때의 이름은 아만阿瞞으로 패국沛國 초군譙郡(지금의 안휘성 호현) 사람으로, 그의 본래 성은 하후夏侯라 한다. 그의 부친 조숭曹嵩이 어려서 대환관 조등曹騰의 양자가 되어 성을 조씨로 바꿨다.

조조曹操

손권孫權

조조의 관상을 보던 사람이 "치세에는 능신能臣, 난세에는 간웅奸雄"이 되리라 예측했다 한다. 그 말대로 그는 더 이상 지탱할 수 없이 무너져 내리는 한나라 말기라는 시대 속에서 일세의 간웅으로서 이름을 크게 떨쳤다. 천하의 패권을 놓고 다투었던 어지러운 삼국시대에 그는 무수한 인재들을 아우르며 대륙을 횡행했던 것이다.

유비劉備

제갈량諸葛亮

263년 위나라에 의해 촉나라가 멸망하고, 위나라의 대신이던 사마염司馬炎이 위나라를 265년에 멸망시키고 서진西晉(265~316)을 건국한다. 또한 280년 진晉나라의 사마염에 의해 오나라가 멸망하면서 삼국시대가 끝이 나고 진晉나라가 천하를 통일하게 된다.

사마염은 진 왕조를 개창한 뒤 사마씨 집안의 통치력을 공고히 하기 위해 27명의 동성왕同姓王(즉, 자식과 형제들을 왕으로 책봉함)을 분봉했다. 그는 위나라가 쉽게 멸망한 까닭은 황실자손에게 권력을 전혀 분배하지 않았기 때문에 나중에 황실이 고립되어 멸망했다고 여겼기 때문에 동성왕들을 자신의 군대 및 문무관직의 요직에 앉혔다. 그는 만일 사마씨 조정에 문제가 발생하면, 그가 분봉한 사마씨 친족들이 모두 호응하여 황실을 지켜줄 것이라고 여겼다. 그러나 누가 상상이나 했겠는가? 사마염의 이러한 정치분배는 오히려 재앙을 초래해 멸망을 재촉했다.

316년 진나라는 흉노에게 망하게 되지만 진나라의 일족으로 강남을 다스리고 있던 사마예司馬睿는 호족豪族의 지지를 받아 진 왕조晉王朝를 재건한다. 전자를 서진(수도 낙양)이라 하고 후자를 동진東晉(317~420, 수도 남경)이라 한다. 서진은 4명의 황제에 의해 52년간 지속됐고, 동진은 송宋(420~478)의 유유劉裕에게 멸망되기까지 11명의 황제에 의해 104년간 지속됐다.

420년 동진의 뒤를 이어 송나라가 건국되어 남조南朝가 시작됐다. 송나라를 이어 제齊나라(479~501), 양梁나라(502~556), 진陳나라(557~589)가 잇따라 건국되었으나 멸망했다. 한편 강북지역은 서진이 흉노에게 멸망한 뒤 북위北魏(386~533)가 통일시켰다. 북위는 동위東魏(534~550)와 서위西魏(535~556)로 분열된 뒤 북제北齊(550~577)가 동위를 대신하고 북주北周(557~581)가 서위를 대신하며 다시 북주가 북제를 멸하는 혼란이 연속됐다.

사마염司馬炎

사마예司馬睿

수당隋唐시대

581년 북주의 승상丞相 양견楊堅이 북주의 정권을 탈취하고 수 왕조를 건립했는데, 역사에서 이를 수문제隋文帝(541~604)라고 한다. 589년 수문제는 남방의 진陳 왕조를 멸망시킨 뒤 동진 이래 2백여년 동안의 분열상태를 끝내고 중국을 재통일했다. 수문제는 통치에 전념하여 균전제均田制를 실시하고 백성들의 요역을 감면하여 농민의 생활을 안정시켰다. 이후 수나라는 사회·경제가 발전하고 통치력이 안정되면서 점차 제국의 면모를 갖추어 갔으며, 영토는 동남으로 바다에 접하고, 서쪽으로 신강 동부, 서남으로 운남·광서 및 월남 북부, 동북으로 요하遼河에 이르렀다.

이같이 4세기에 걸친 분열을 극복하고 천하통일을 달성한 수나라는 산적한 내정 개혁들을 시행하면서 통일정치에 새로운 기운을 불어넣었다. 그 개혁들은 모두 당나라로 이어져 율령律令정치 체제를 확립했다.

수나라와 당나라 모두 수도는 장안長安(지금의 서안西安)이었다. 장안성長安城이라고 하면 맨 먼저 당나라의 수도가 떠오르지만, 그 기초를 다진 것은 수나라였다. 수나라는 전한의 수도였던 옛 장안 땅 가까이에 새로운 도성인 대흥성大興城을 건설했다. 이는 궁성을 북쪽 중앙에 놓고 거리를 '우물정井'자 모양으로 질서정연하게 배치하는 도시계획에 바탕하고 있었다. 당나라의 장안성은 이 대흥성을 계승하여 정비한 것이다.

강남지방은 남조시대의 개발에 의해 생산성이 매우 높아졌다. 남방의 이 풍부한 물자를 정치 중심지인 북방으로 운반하기 위해 만든 것이 대운하大運河다. 이 운하의 대동맥은 수문제隋文帝와 수양제 두 대에 걸쳐 완성됐다.

수나라의 두 번째 황제인 수양제隋煬帝(양광楊廣: 569~618)는 605년부터 6년 동안에 걸쳐 통제거通濟渠·한구邗溝·영제거永濟渠·강남하江南河 등 대륙을 남북으로 잇는 대운하大運河를 건설했다. 그러나 수나라는 대대적인 토목공사와 3차례의 고구려 징벌 등 무리한 정치를 폈기 때문에, 이로 말미암아 민심의 이반과 불평분자의 봉기를 초래하여, 통일 후 겨우 38년 만에 멸망했다.

수문제隋文帝

수양제隋煬帝

반면, 그 뒤를 이은 당唐나라는 큰 개혁을 피하고 내정을 튼튼히 하는 데 매진한 결과 300년에 이르는 긴 명맥을 유지할 수 있었다. 처음 중국을 통일한 진秦나라도 급격한 개혁에 대한 부작용으로 겨우 15년 만에 멸망한 전례가 있었다. 그 뒤를 이은 한漢나라는 커다

당고조 이연

당태종

란 개혁을 피했기 때문에 전한·후한 합쳐 총 400년에 걸친 장수를 누릴 수가 있었다.

당나라(618~907)는 618년 태원太原의 유수留守인 이연李淵(566~635, 당 고조高祖, 재위 618~626)이 군대를 이끌고 장안을 공격하여 이듬해 수나라를 멸망시키고 제위에 오르면서 건국한 국가이다.

한편 당나라의 제2대 황제로 즉위한 당태종 이세민李世民(598~649, 재위 626~649)은 29세 때 황제에 즉위하여 풍부한 정치경험을 바탕으로 왕성한 정치를 펼친 결과 당나라를 안정시켰다. 태종은 아버지인 고조 이연을 도와 당나라 건국에 가장 큰 공을 세웠으며, 자신이 즉위할 즈음에는 수나라 말기부터 각지에서 들고 일어나 흩어져 살던 군웅群雄들을 모조리 평정했다. 이로써 당나라는 천하통일을 달성(628)하고, 태종은 왕조의 기반을 굳건히 하는 데 힘쓰게 된다.

태종은 23년 동안 제위에 있었는데, 이 시기 당나라는 사회·경제와 통치 질서를 확립하여 태평성세를 이루었다. 그가 다스린 23년 동안을, 그의 연호에 따라 '정관貞觀의 치治'라고 부른다.

당나라는 과거제도科擧制度를 통해 등용된 인재들을 폭넓게 활용하여 전문관료제도의 전성기를 구가했다. 대외적으로는 돌궐突厥(6세기 중기부터 알타이산맥 부근에서 일어나 약 2세기 동안 몽고고원에서 중앙아시아에 걸쳐 대제국을 세운 터키계 유목민족 및 그 국가) 철륵鐵勒(위구르족), 투루판(신장 위구르 자치구의 도시)을 차례로 격파하고 토번吐藩(티베트)을 정복하는 한편 서역의 요지에 전진기지들을 설치하는 등 사방으로 영토를 넓혔다. 그러나 현종玄宗(685~762) 말기에 일어난 안사安史의 난(755년 12월 16일부터 763년에 걸쳐 당나라 절도사節度使인 안녹산安祿山과 사사명史思明이 일으킨 난) 이후 중앙의 통치력이 점점 쇠미해지면서 환관이 전권을 쥐었으며, 붕당朋黨의 투쟁이 계속됐다. 874년 황소黃巢의 난을 비롯한 대규모 농민반란이 폭발하여 중앙의 집권 기반이 크게 흔들렸다. 결국 907년에 후량後梁을 세운 주온朱溫(주전충朱全忠)에 의해 멸망했다.

당나라시대에는 중국 역사상 유일한 여제女帝 측천무후則天武后가 있었다. 측천무후則天武后(또는 무측천武則天: 624~705)의 성은 무武, 본명은 조曌이고, 어릴 적 이름은 미랑媚娘이다. 중국 역사상 전무후무한 여성 황제이다. 물론 중국 역사상 군주전제체제를 2천 년 넘게 실행하는 과정에서 서한(또는 전한前漢)의 여후呂后처럼 모후로서 권력을 쥐고 흔들었거나 청淸나라의 서태후西太后처럼 수렴청정垂簾聽政을 통해 실권을 장악했던 경우는 있었다. 측천무후는 황후에서 더 나아가 스스로 황제의 자리에 올라 명실상부한 일인자로 군림했다. 그런 의미에서는 측천무후야말로 중국 역사를 통틀어 여걸 중의 여걸이라 하기에 부족함이 없다.

690년 67세의 측천무후는 '당唐' 대신 '주周' 왕조를 세우고 스스로 황제에 즉위함으로써 무씨 왕조를 열었다. 그녀는 보잘것없는 재인才人에서 시작하여 황제의 보좌에까지 올랐다. 이는 결코 우연히 찾아온 기회를 잡았던 것이 아니라 계획적으로 한 걸음 한 걸음 위로 올라간 결과였다. 그녀는 황제의 자리를 얻기 위해 오늘날에는 상상할 수도 없는 거대한 벽을 돌파해야 했다. 유교 도덕이 지배하던 옛 중국에서 여성의 지위는 매우 낮아 사회적으로는 없는 것이나 마찬가지였다. 그 당시 여성의 인권 따위는 아예 없었다. 이렇게 남성 위주의 사회에서 여성의 사회 진출은 '완전히'라고 해도 과언이 아닐 정도로 불가능에 가까웠다. 그런데 측천무후는 그 벽을 깼다.

측천무후의 일생은 자신보다 강한 남자와 겨루면서 거대한 자기 성취의 역사를 걸었다는 데 큰 의의가 있다. 강한 남자만이 주인공이 되어 세상을 좌지우지하던 시절에 남자와 맞서고, 조정하고, 제압하고, 협력하면서 자기를 세우는 데 주저함이 없었다. 자기 가치관을 남자들의 세계에 구축하는 전략을 자유자재로 펼쳤다.

측천무후는 14세에 당 태종의 후궁으로 황궁에 입궐하여 고종高宗과 깊은 관계를 맺은 뒤에 궁중 내의 비빈들을 제거하고, 마침내 황후를 폐위시키고, 655년에는 자신이 황후가 되었다. 그녀는 고종이 중병이 들어 정사를 돌볼 수 없게 되자 섭정을 통해 강력한 통치력을 과시했다. 측천무후는 반대파들을 무자비하게 처형했으며 심지어 자신의 아들까지도 독살하거나 유배를 보내는 등 자신의 권력을 지키기 위해 갖은 수단을 동원했다.

측천무후에 대한 평가는 비난과 찬사가 엇갈리고 있다. 유교적 도덕윤리에 물들었던 후대의 역사가들은 그녀에 대한 편견을 가지고 비난을 서슴지 않았고, 그 기록조차 정확히 하지 않았을 뿐만 아니라 측천무후가 세운 주周도 당조唐朝의 사이에 끼어 하나의 왕조로 계산치 않고 있다. 측천무후는 당제국의 황후로서, 태후로서 그리고 황제로서 거의 반세기를 지배했다. 측천무후야말로 지혜와 담력을 겸비한 여걸이라고 불리기에 조금도 부족함이 없는 여인이었다.

측천무후의 역사적 공적은 크게 4가지이다. 첫째, 보수적인 문벌 귀족에 타격을 주고 신진 인재들을 대거 기용하여 당나라의 기틀을 잡은 것, 둘째, 경제발전을 촉진시키고, 셋째, 국경지역을 안정시킨 것과 넷째, 이러한 기반 위에 문화발전을 촉진시킨 점 등이다.

측천무후가 중국 최초의 여황제라는 자리에 오르기까지 잔인하고 악랄한 방법을 썼다는 것은 인정해야 하지만, 중국 역사에서 황제라는 자리에 오르기 위해 형제와 일가를 죽인 사람은 그녀뿐이 아니다. 그녀를 평가할 때에는 권력을 잡기까지의 행보보다는 잡은 이후에 어떤 치적을 폈는지를 살펴야 할 것이다. 지금까지 많은 중국 역사가들이 여황제라는 측천무후의 치적을 과소평가하기에 급급했으나 현대에 들어서는 그녀가 이룩한 사회개혁과 당 왕조가 이후 공고히 이어지게 된 사회·문화적 기틀을 세웠다는 공적을 높이 평가하고 있다.

이러한 당나라의 번영 속에 수도인 장안도 크게 번성한다. 대당나라의 문화를 흠모하여, 혹은 물자를 찾아 많은 외국인들이 빈번히 오가면서 정착하는 사람들도 늘어났다. 전성기에는 인구 100만을 헤아렸다고 하니, 당시로서는 세계 최대 규모였다.

당나라의 문학 방면에서는 '당시唐詩'라는 용어가 생겨날 만큼 시가 흥성했고, 이백李白, 두보杜甫 등 유명한 시인을 배출했다. 당대에 들어와 불교는 더욱 발전했다. '서유기西遊記'의 모델인 삼장법사三藏法師 등이 유명하다. 특히 통일신라와의 교역과 교류는 극히 활발하였으며 많은 승려와 학자들이 당나라를 내왕했는데 신라인의 집단거류지인 신라방新羅坊에는 거대한 사찰도 있었다고 한다.

역사상 당나라는 주변(돌궐, 중앙아시아 등)을 정복하여 대제국을 형성하고, 아시아 일대에 정치적·문화적 영향을 주었다. 그리고 율령律令체제를 완성하고, 불교문화의 최전성기를 이루기도 한 시기였다. 그러나 당나라는 절도사 권력의 증대와 황소의 난 등으로 인해 구문벌세력舊門閥勢力이 몰락하고 신지주층의 출현 등으로 인해 몰락하게 된 것이다.

907년에서 960년까지는 군벌 간의 전쟁이 끊이지 않는 시기였다. 이 시대의 54년 동안 황하유역에는 양梁·당唐·진晉·한漢·주周 등 명이 짧은 왕조가 일어났다가는 망했다. 지방에서는 전후 14개의 여러 나라가 역시 일어났다가는 이내 멸망했는데, 그 가운데서 가장 강대한 것이 북한北漢, 오吳, 남당南唐, 오월吳越, 초楚, 남한南漢, 민閩, 전촉前蜀, 후촉後蜀, 남평南平의 열 개의 나라이다. 그래서 이 시대를 오대십국五代十國의 시대라고 한다.

측천무후   이백李白   두보杜甫

송원宋元시대

960년에 오대五代 마지막 나라 주周의 중신이었던 조광윤趙匡胤이 장병들에게 추대되어 송宋나라을 세웠다. 다음 태종의 대에 이르러 천하를 통일했다. 송나라는 문치주의文治主義를 채택하여 문관관료정치기구를 확립했다. 그러나 국초 이래의 문관주의는 한편으로 군대의 약체화와 조정 대신들 간의 당파싸움이라는 폐단을 낳았으며 내치와 외교상의 폐해가 누적되어 힘이 약해진 송은 1127년 여진족이 세운 금金나라의 침입을 받아 남부로 수도를 옮기지 않을 수 없었다. 보통 이때까지의 송나라를 북송北宋(960~1127: 수도 개봉開封)이라고 칭한다.

북송이 금나라에 멸망한 후 강왕康王(북송의 마지막 황제 흠종欽宗의 동생으로 북송이 망하자 그는 남경으로 도피하여 황제에 즉위하였다) 조구趙構는 유민과 군대를 이끌고 남방으로 내려가 황제로 즉위했다. 도읍은 남경南京에 정했다가 임안臨安(항주杭州)으로 옮겼다. 역사에서 이를 남송南宋(1127~1279: 수도 항주)이라 한다. 남송은 1279년 몽골족이 세운 원元나라에 의해 멸망당했다.

송나라는 유교에 근본한 문과우위의 체제를 통해 중앙 정부의 군사력을 구축했고 복수합의제를 채택하여 권력의 관료집중화를 억제하기도 했다. 학문적으로는 이상주의적 학설인 신유교주의, 곧 송학宋學이 성립했다.

신종神宗(재위 1067~1085) 때에 등용된 왕안석王安石은 차례로 부국강병富國强兵을 위한 신법新法을 시행하였으나, 보수파의 큰 반발을 불러일으켜 실패하고 말았다. 송나라는 문文을 숭상했기 때문에 서화書畫, 시문詩文, 불교佛敎, 유학儒學 등 문화 면의 발전도 상당한 성과를 가져왔다.

중국 역사상 송나라 시기에는 문인 위주의 과거제도를 정비하여 강력한 군주독재체제君主獨裁體制를 확립했다. 이 시기는 송학이 발달하였고, 활자 인쇄 동전과 지폐의 발행, 나침반과 화약의 발명, 도자기의 제작 등 많은 문화의 발전이 있었던 시기였다. 한편 논의 개발과 벼농사 기술의 진보로 강남이 곡창지대로 변하게 되어 경제적 발전을 이루었다.

또한 송대에는 관리를 뽑기 위해 치러졌던 과거제도가 확립되면서 관료의 성격도 크게 변하게 된다. 당 말과 오대의 혼란 속에서 귀족들은 이미 몰락해 버렸으므로, 과거에 합격만 하면 당대처럼 귀족들로부터 임용을 방해받지 않게 된 것이다.

과거시험에는 반드시 유학 고전이 출제되었다. 그 결과 고전을 사고자 하는 사람들도 많아지고 그 인쇄도 활발히 이루어졌다. 따라서 서적이 대량 보급되어 많은 지식인이 배출되게 되었다. 그중에서도 더 특별히 우수한 자가 과거에 합격하고 관료로 뽑혀 사대부士大夫라 불리는 새로운 계층을 형성하게 되었다. 따라서 관료는 모두 고전에 밝고 문장과 시를 짓는 데도 뛰어난 고도의 지식인이었다.

11세기 후반, 신법新法을 실시하여 부국강병을 꾀한 왕안석王安石은

빼어난 문인이자 학자였다. 이에 대항한 구법당舊法黨의 사마광司馬光은 편년체編年體(연대별로 역사적 사실을 기록하는 역사서술법) 사서史書『자치통감資治通鑑』('자치통감'은 기원전 403년부터 서기 959년까지 1300여 년의 역사를 294권의 편년체로 완성했다. '자치통감'은 문체가 매우 생동감이 있고 내용이 간결하여 사료적 가치 또한 신뢰할 만한 불후의 역사서라고 할 수 있다)을 완성하여 후세에 커다란 영향을 끼친 인물이다.

조광윤趙匡胤

신종神宗

왕안석王安石

사마광司馬光

원나라(1260~1370)는 칭기즈칸成吉思汗이 등장하여 금나라와 남송을 멸망시키고 통일국가인 원나라를 세우게 된다. 쿠빌라이(몽골제국의 제5대 칸Khan이자 원元제국의 초대 황제(1216~1294, 재위 1260~1294) 칭기즈칸의 손자로, 치열한 후계 다툼 끝에 몽골제국의 칸이 되었다. 남송南宋을 멸망시키고 원을 건국하여 중국을 완전히 정복하였고, 이어 일본과 중앙아시아, 유럽에까지 원정하였다. 중앙집권체제를 확립하고 몽골어를 공식어로 하는 등 몽골인의 우월성을 강조하였다. 묘호廟號는 세조世祖이다)는 도읍을 대도大都(북경北京)에 정하고 국호를 원元이라 정했다. 1279년에 남송을 멸하고 전국을 통일했다. 그들은 아시아 대륙뿐만 아니라 중동은 물론 동부 유럽을 석권하는 대제국을 건설했지만 중국의 문화·제도에 완전히 동화되지 못했다.

거대한 중국 대륙 전체를 지배하게 된 원나라는 소수의 지배민족이 인구나 생산 방면에서 우세한 피지배민족(한족)을 다스리기 위해 임격한 민족 차별정책을 취했다. 몽고족, 색목인色目人(원나라 때 터키, 이란, 아라비아, 중앙아시아 등 서역에서 온 외국인을 통틀어 이르던 말), 한인漢人, 남방인南方人(남인이라고도 하며, 남송의 한인, 즉 남송의 한족을 이르는 말)을 엄격히 구별하고 몽고인과 색목인이 정치를 관장했다. 그러나 원나라의 지나친 확장과 인종차별은 각지의 민중봉기를 필연적으로 유발시켰으며, 마침내는 주원장朱元璋(1328~1398, 재위 1368~1398)이 한족의 단결을 호소하며 원의 수도 대도를 점령하고 명明나라를 건국함에 따라 원나라는 멸망했다.

원나라는 중국 역사상 가장 활발하게 대외외교를 펼친 국가로 알려져 있는데, 서방과의 교류가 이때부터 활발해지면서 중국의 문화가 서방으로 넘어가는 계기가 되었으며, 몽고족은 당시 유럽과 아시아에 걸쳐 대제국을 형성하게 되었다. 그리고 라마교(티베트, 만주, 네팔 등지에 퍼진 불교의 한 파. 7세기 인도에서 티베트에 전해진 대승불교가 티베트의 고유 신앙과 동화되어 발달함)가 지배층의 사상적 기초를 이루기도 하였으며, 마르코 폴로[마르코 폴로는 이탈리아 베네치아 태생으로 17세 때 아버지를 따라 원나라를 방문하였다. 이후 17년 동안이나 원나라에 머물면서 황제 쿠빌라이 칸의 신임을 얻어 중국 각지를 여행하였고, 사신 자격으로 여러 차례 외국에 파견되기도 하였다. 그는 베네치아에 돌아온 다음(1290), 자신의 경험을 프랑스인 작가에 구술하여 『동방견문록』을 펴냈다. 이 책에는 당시 서아시아, 중앙아시아, 중국 등에 관한 기사가 풍부하고 정확하게 기술되어 있는데, 특히 중앙아시아에 대해 정확하게 언급되어 있다. 이 책이 처음 발간되었을 때 유럽인들이 이 책의 내용을 믿지 않았으나 그 후 많은 사람들이 아시아를 여행하면서 이 책의 내용이 정확하다는 것을 알게 되었고, 콜럼버스의 신대륙 발견에 큰 계기가 되는 등 신항로 개척에도 큰 역할을 하였다] 등이 찾아와 서양과의 교류와 접촉이 있기도 하였다. 이와 같이 몽고족이 지배하던 원나라 시대에는 동서양 국가들과 활발한 교류로 많은 문화와 문명의 발전이 있었으며, 고려와의 교류를 통하여 영향력을 끼치기도 하였다.

원대에는 도시가 발달하고 상업, 수공업이 발달했기 때문에 상인 및 시민계급의 지위가 향상되었다. 그러나 몽고족은 힘으로는 한족을 지배했지만, 정신적으로는 한족의 지배를 벗어나지 못했기 때문에 스스로 고립의 길을 걸음으로써 한족이 세운 명나라에 멸망당하였다.

쿠빌라이   마르코 폴로

명청明淸시대

　명나라(1368~1644)를 건국한 태조 주원장朱元璋은 지독한 가난을 딛고 일어나 일개 병졸에서 장군으로, 그리고 황제의 자리에까지 오른 영웅이었다. 그는 원나라 말기의 혼란한 틈을 타 각지에 들고 일어난 군웅들을 차례로 무찌르며 지금의 남경 땅에 자리를 잡았다. 그리고 천하를 거의 평정했을 무렵인 1368년 정월, 남경에서 황제의 자리에 올라 국호를 대명大明, 연호를 홍무洪武라 했다.

　명나라는 원대의 이민족 제도를 폐지하고 중국 고유의 제도로 돌아간다는 복고주의적 방침 아래 적극적으로 내정개혁에 착수했다. 이러한 개혁들을 통해 명조는 중국역사상 더욱 강화된 중앙집권中央集權에 의한 군주독재체제를 확립했다. 명 태조는 전지田地측량과 호구조사를 실시하는 등 농업정책을 강력히 추진했다. 그러나 3대 성조成祖(1402~1424) 이후 기강이 문란해지고 관료의 당쟁과 환관의 전횡이 심했다.

명나라는 강남에서 출현한 최초의 통일왕조이며, 3대 성조 영락제永樂帝 때 북경으로 천도하여 도읍으로 정하였다. 명대는 황제의 독재가 절정에 달한 시기이다. 또한 국수주의적인 정책을 펼쳤으며, 양명학陽明學이 발달하기도 하였다. 한편 해금정책海禁政策(자국의 해안에 외국선박의 항행航行이나 출어出漁 등을 금지하는 정책)을 실시하여 무역을 통제하고, 상품작물의 재배, 방적과 직포를 중심으로 하는 농촌수공업이 발전하였으며, 일조편법一條鞭法(중국의 명나라 말기와 청나라 초기에 시행된 조세 제도. 여러 항목으로 되어 있던 세금 제도와 요역을 하나로 정비하여 은으로 납부하게 하였다)과 조세의 은납화銀納化를 실시하기도 하였다.

환관의 횡포와 함께 명 왕조의 몰락에 박차를 가한 것은 당파의 분쟁이었다. 관료들의 당쟁은 처음에는 환관에 대항하여 설립되었으나, 당쟁이 심해짐에 따라 국력을 낭비하여 만주족滿洲族의 지배를 허용하는 결과를 가져왔다. 만주족은 국호를 청淸(1616~1911)이라 하고, 1644년에 명 왕조를 멸망시킴으로써 중국 대륙은 다시 한번 소수민족의 통치를 받게 됐다.

청의 만주족은 강력한 무력을 배경으로 하여 한족을 강압하고 자기의 풍속인 변발辮髮 등을 강요하는 등 한족과의 사이에 불화가 계속되었다. 성조聖祖(강희제康熙帝 청조의 제4대 황제: 재위 1661~1722), 세종世宗(옹정제雍正帝 청조의 제5대 황제: 재위 1722~1735), 고종高宗(건륭제乾隆帝 청조의 제6대 황제: 재위 1735~1796)으로 이어지는 1660~1800년의 130여 년은 훌륭한 통치를 보여, 당시 중국에 있었던 예수교 선교사에 의해 그 내용이 유럽에도 소개됐고, 이때에 정비된 관료제도가 프랑스에 영향을 미치기도 했다. 그러나 왕조의 힘이 조기에 쇠진한 데다 해외 중상주의重商主義 국가들의 끊임없는 통상압력을 받다 청조의 운명도 오래가지 못했다.

　최후의 왕조인 청나라는 만주족이 세운 나라로서, 티베트와 신장 지역을 합쳐서 동아시아 전반에 걸친 대규모 영토를 확보하고 최대의 번영을 이루었던 나라이다. 8기八旗제도(팔기는 청나라의 지배계층인 만주족이 소속되었던 사회, 군사 조직을 말하며 이 제도를 팔기제라고 부른다. 모든 만주족은 8개의 기 중 하나에 소속되었으며 후에는 몽골족이나 한족에 의해 편성된 팔기도 창설되었다. 팔기에 소속된 만주족, 몽골족, 한족은 기인旗人이라 불렸으며 청나라의 지배계층을 구성했다)와 변발辮髮(남자가 12~13세가 되면 머리 뒷부분만 남겨 놓고 나머지 부분을 깎아 뒤로 길게 땋아 늘인 머리. 만주인의 풍습으로 청나라 때에 유행하였다)을 강요하여 사상을 통제하고, 지정은地丁銀(청나라 때, 토지세土地稅와 인정세丁稅를 합쳐서 토지에만 과하여 은銀으로 징수하던 세제稅制)제도를 실시하기도 하였다. 중국 역사상 명나라시대부터 시작하여 청나라 중엽에 이르기까지 중국의 산업과 학문, 사상 전 분야에서 큰 발전이 있었던 시기였다.

주원장朱元璋   명성조 영락제

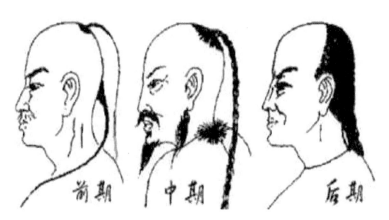

변발 전기, 중기, 후기의 형태

강희제康熙帝 　　　　옹정제雍正帝 　　　　건륭제乾隆帝

청나라의 멸망과 중화인민공화국의 건국

　청 말 세계의 열강들이 거대한 중국을 침략하기 시작하면서부터 중국 사람들은 서구의 발달한 문명 앞에 너무나도 무력한 봉건주의체제 아래 놓여 있는 자신들을 발견하지 않으면 안 되었다. 특히 1840년에 일어났던 아편전쟁阿片戰爭에서 중국이 영국의 해군력 앞에 제대로 싸워보지도 못하고 굴복을 하게 되자 중국 사람들의 머릿속에 수천 년을 두고 굳혀져 왔던 중화中華사상도 붕괴되지 않을 수 없었다.

　중국은 1840년부터 몇 차례에 걸친 전쟁을 겪었으나 한 번도 상대방을 제압해보지 못하였다. 또한 두 차례에 걸친 혁신운동도 소기의 성과를 달성하지 못하였다. 이에 따라 민중들은 망국의 위기에 대한 각성을 하기 시작했으며 자연히 민족주의도 발흥하게 되었다. 이들은 강력한 중앙정부의 출현과 제국주의 열강의 축출, 그리고 정치, 경제, 사회, 문화 등 전반에 걸친 혁신을 기대하였다. 이러한 상황 아래 위기를 느낀 청조淸朝는 일련의 개혁정책을 추진하여 입헌운동 등을 벌였다. 그러나 청조의 개혁정책은 철저하지 못하였으므로 백성들의 불만은 높아만 갔다.

이에 쑨원孫文(손중산孫中山: 1866~1925)을 중심으로 한 혁명파들은 1905년 일본의 동경에서 중국동맹회中國同盟會(국민당의 전신)를 결성하고 청조 타도를 외치며 혁명운동을 전개하였다. 혁명의 이념은 민족民族, 민권民權, 민생民生을 주장하는 삼민주의三民主義였다. 이와 함께 국내에서도 혁명세력이 성장하여 1911년 10월 11일 마침내 호북성 무창武昌에서의 군사봉기가 성공하자 혁명은 전국을 휩쓸었다. 이 무창봉기 이후 각 성省은 청조로부터의 독립을 선언하였고, 혁명파는 1912년 드디어 남경南京에 중화민국 임시정부를 수립하였다. 쑨원이 임시대총통으로 선출되었으며, 중국동맹회는 국민당으로 창설되었다. 이것이 바로 신해혁명辛亥革命이다. 이 신해혁명의 성공으로 청조의 260여 년에 걸친 통치가 끝나고 2천여 년 동안의 황제통치가 막을 내리면서, 공화제共和制를 기반으로 한 중화민국中華民國이 탄생하게 된 것이다.

쑨원孫文

그러나 새로운 근대 민주주의 정부가 정착하기 위해서는 아직도 많은 난관을 넘어야 했다. 중화민국 내에서 혁명파들은 혁명을 주도적으로 실행해 나갈 실질적인 힘을 완전히 갖추지 못하여 보수세력들의 군사공격을 막아내기 위해 또 다른 보수세력과 손을 잡아야 했다. 또한 중화민국을 구성하는 여러 세력이 모두 쑨원의 삼민주의를 지지하여 근대적인 민족 민주국가를 세우는 데에 동의하는 것은 아니었다. 그들 중에는 분위기에 밀려 참가한 군벌軍閥세력도 있었는데, 이들은 가장 강력한 군사력을 장악하고 있는 위안스카이袁世凱를 총통으로 앉히자는 입장이었다. 결국 타협 끝에 쑨원이 위안스카이에게 대총통의 자리를 물려주었다.

위안스카이는 오로지 개인적인 야심에 가득 차 다시 황제지배체제로 바꾸어 자기 자신이 직접 황제로 즉위하려고 하였다. 혁명세력은 위안스카이에 대항할 만한 강력한 군사력을 가지고 있지 못했으므로, 이런 위안스카이의 야심과 복고주의적 행동을 제어하지 못했다. 결국 쑨원은 일본으로 망명하여 다시 일본에서 중화혁명당을 조직했다. 쑨원은 이 조직을 바탕으로 활발한 공작을 하여 제2혁명, 제3혁명을 거듭 일으켰으나, 중국을 장악하지 못했다.

1921년 상해에서 역사적인 중국공산당 창립 모임이 있었다. 이때 참가한 사람은 겨우 13명이었다. 나중에 중국공산당을 이끌고 중국 공산혁명을 성공시킨 마오쩌둥毛澤東도 이 13명 중의 하나였다. 이렇게 창당된 후 공산당은 조직 활동을 아주 활발하게 전개하였다. 공산주의자들의 주된 활동은 계몽적인 선전활동과 함께 노동자를 조직하여 노동운동을 북돋워주는 것이었

위안스카이袁世凱

다. 이렇듯 눈부신 조직 확대로 공산당은 군벌과 외국의 침략에 대항하는 국민혁명운동의 한 세력으로 인정받게 되었다. 마침내 1923년 공산당과 국민당은 군벌 타도를 목적으로 손을 잡기로 결정했다. 이것은 아직까지 중국의 전 지역을 장악하고 있지 못했던 국민당의 쑨원이 각지에 할거하고 있던 강력한 군벌세력을 타도하고자 모든 반군벌세력과 연합

장제스蔣介石

하겠다는 의지를 표명하면서 이루어졌다. 이것이 바로 제1차 국공합작國共合作이다. 국공합작 후 쑨원은 마침내 군벌과의 싸움을 본격적으로 벌여나가기 시작했다.

그러나 국민당의 활동은 1925년 쑨원이 죽으면서 새로운 양상으로 전개되었다. 모든 반군벌세력을 끌어들여 중국 혁명의 완수라는 목표에 합류시킬 수 있었던 유일한 인물인 쑨원이 죽자 국민당 내의 반공세력들은 공산당을 배척하려는 움직임을 드러내기 시작했다. 결국 반공파의 중심인물인 장제스蔣介石(장중정蔣中正: 1887~1975)가 쑨원 사후의 국민당 권력을 휘어잡으면서, 1927년 4월 12일 상해에서 전격적으로 공산당에 대한 테러를 개시하였다(4·12反共 쿠데타). 장제스는 1920년대 말까지 북벌北伐에 전념하여 각 지방에 할거하고 있던 군벌들을 물리치는 데 성공하자마자 공산당을 소멸하는 데에 온 힘을 기울였다.

장쉐량張學良

공산당은 정강산井岡山에서 조직을 정비하고 홍군을 재편성하여 다시 주변 지역으로 세력을 확장시켰다. 특히 농촌에서 농민들을 대상으로 토지혁명 등을 통해 공산당의 근거지를 만들어나가는 노력이 계속되었다. 그러나 곧 국민당이 우세한 군사력을 바탕으로 점차 공산군의 세력 근거지를 압박해왔다. 1934년에 이르면 공산당은 거의 완전 섬멸당하는 위기에까지 몰리게 된다.

이때 일본은 이미 만주를 점령하여 지배하고 있었고 다시 북경을 중심으로 한 화북華北 일대를 지배권 아래에 넣으려고 하였다. 공산당은 국민당 정부에도 공산당 간의 대립을 중단하고 항일투쟁을 힘쓰자는 제안을 했으며, 중국 내의 여론도 더 이상 국내의 세력다툼에 힘을 낭비하지 말고 일본의 위협을 물리쳐야 한다는 분위기로 기울고 있었으나 장제스는 공산당 탄압에 대한 입장을 바꾸지 않고 공산당 토벌 작전을 계속하였다.

그러나 결정적으로 장제스가 공산당 탄압의 입장을 철회하고 공산당과 연합하게 되는 사건, 이른바 서안사변西安事變이 발생했다. 1936년 장제스는 공산군 토벌을 독려하기 위해 서안에 주둔하고 있었던 장쉐량張學良 부대를 찾아갔는데, 같은 중국인들끼리의 싸움을 중지하고 모두 항일투쟁에 나서자는 공산당의 주장에 동의하고 있던 장쉐량은 서안에 찾아온 장제스를 감금하고 공산당과 협상할 것을 강요

1921년 상해의 중국공산당 창립장소

하여, 결국 제2차 국공합작이 성립되었다.

　1937년 일본은 노구교盧溝橋사건을 계기로 중국에 대한 총공격을 개시하여 천진, 북경을 점령하고 1937년 12월 13일 남경대학살을 자행하였다.

　결국 1945년 8월 히로시마와 나가사키에 원자폭탄이 투하되고 소련군이 만주로 진격함으로써 일본은 항복을 선언하게 되었다. 그리고 중일전쟁의 종결 직후 4년여에 걸친 국공내전國共內戰(제2차 세계대전 후 중국의 지배권을 둘러싸고 국민당과 공산당 간에 벌어진 내전)에서는 결국 공산당이 승리하게 되었다. 초반에는 국민당이 군사적으로 우위였으나 1년이 지난 1947년경에 이르면 전세戰勢는 공산당 쪽으로 기울기 시작한다. 국민당 정부는 전쟁에서 승리하고

마오쩌둥毛澤東

1949년 10월 1일 중화인민공화국의 건국을 선포하는 마오쩌둥

있는 것처럼 보였지만, 내부의 부패를 다스리지 못했고 생존에 허덕이는 국민들의 고통을 외면함으로써 이미 민심을 잃고 있었다. 그러나 공산당이 장악한 해방구에서는 토지개혁이 이루어져 농민들이 자기 땅을 가질 수 있었고 부패한 관리들에게 착취당하는 일이 없었다. 결국 국공내전國共內戰에서 패배한 장제스가 이끄는 국민당군은 대만으로 철수하였다.

1949년 10월 1일 중국공산당은 마오쩌둥을 영도로 하여 천안문광장에서 사회주의체제 국가인 '중화인민공화국中華人民共和國'의 수립을 국내외에 선포했다. 그리고 수도를 '북경北京'으로 정하고, 의용군행진곡을 임시적인 국가國歌로 정하였고, 오성홍기五星紅旗를 국기國旗로 정하였다.

신중국

중국공산당은 중화인민공화국을 건국한 후, 청조와 오랜 국민당 정부의 잔재를 몰아내고 공산주의식 정치체제를 수립하기 위해 많은 사업을 전개하게 된다.

1951년 11월부터는 항미원조抗美援朝(미국을 대항하고 북한을 지원한다)의 정책과 토지개혁, 그리고 숙반운동肅反運動(반혁명세력 제거운동)을 실시하게 된다. 특히 숙반운동으로는 3반운동(반부패, 반낭비, 반관료주의)과 5반운동(준법자, 기본준법자, 반준법자, 위법자, 범법자로 분류하여 처벌하는 운동)을 전개했다.

공산당은 이러한 일련의 과정을 겪으면서 공산당의 통치기반을 튼튼히 하는 한편 국가기반을 튼튼히 하기 위해 1952년 제1차 5개년 계획을 실시하게 된다. 농업, 수공업, 자본주의의 상공업에 대하여 단계적·자발적·평화적이라는 원칙하에 사회주의로의 개조를 실현해 나갔다.

또한 공산당은 지주재산의 몰수 및 토지개혁을 실시하는 동시에 초급, 고급 합작사를 조직하고, 농촌의 집단화를 실시하였다. 한편 반대세력에 대한 숙청을 실시하게 된다. 먼저는 지식층과 지주계층을 대상으로 실시되었고, 후에는 해외 연계세력과 종교세력에까지 확대하게 된다. 그래서 1956년에는 국민들의 성분을 분리하고 좌파에 속한 세력들을 대대적으로 제거하게 된다. 1958년에는 잠재하던 불순세력들까지 숙청하게 된다.

마오쩌둥은 지속적으로 공산화의 과정과 아울러 공산주의 계획경제에 의하여 공업화와 농업생산량 향상을 위해 각종 사업을 실시하게 된다. 급진적인 사회주의 건설노선으로서 사회주의 총 노선, 생산대약진, 인민공사화人民公社化(중화인민공화국에서 1958년에 만들어진, 농촌의 행정, 경제의 기본단위) 활동 등 3면홍기三面紅旗 정책을 전개하여 집단소유제, 자력갱생 등을 추진하게 된다.

당 주도의 개혁, 정풍整風(문란해진 사회 기풍氣風이나 작풍作風 따위를 바로잡음), 숙청 운동에 이어 마오쩌둥은 과도기 총 노선을 제기하면서 제1차 5개년 경제계획을 추진했다. 제1차 경제개혁에서는 모든 자원을 자본재산업에 집중, 농업을 포함한 전체 경제를 중앙집권식 계획경제로 개조하여 부강한 사회 중의 중국을 건설한다는 것이었다. 그러나 이 기간 중에 중국 지도자들은 노동력의 활용을 극대화하는 문제를 등한시했을 뿐만 아니라 자본 집약적인 공업투자에만 치중했기 때문에 실업이 심각한 문제로 등장했다.

제1차 5개년 계획에 대해 부정적인 평가를 내리게 된 중국 지도부는 중국 경제의 현대화를 가속화하려는 대약진운동大躍進運動을 전개했다. 이 운동은 중국 지도부 내에 심각한 분열을 가져와 운동을 지지하는 과격파와 반대하는 온건파가 서로 대립하는 양상을 보였다. 결국 소련모델을 폐기하고 새로운 자력갱생의 발전정책을 채택하여 성장을 가속화하려는 마오쩌둥의 혁명이념은 현실을 무시한 너무나 급진적인 모험적인 정책인 것으로 판명됐다.

결국 1958년에 시작한 대약진운동은 자연재해와 자본과 기술, 그리고 경험의 부족으로 인하여 2년 만인 1960년 실패로 끝나게 된다. 이는 중국 국민에게는 고통과 가난을 가중시키는 시련을 안겨주었다.

1961년부터는 급진적인 사회주의 건설 노선을 수정하여 류사오치劉少奇(1898~1969: 1960년대 말 문화대혁명으로 숙청되기 전까지 마오쩌둥의 후계자로 공인되었다. 중국 노동운동 초기부터 적극적인 노동운동가로 활동했으며, 중국공산당의 창당과 통치전략 수립에 영향력을 발휘했다. 1949년 공산혁명 이후에는 중화인민공화국의 외교활동에서 중요한 역할을 수행했다)의 경제조정 정책을 채택하고 인민공사 제도를 수정함으로써 중국 경제의 회복을 이루게 된다. 그러나 중소분쟁의 심화로 기술원조의 중단 및 기술자 철수 사전이 일어나게 되고, 당 내부적으로는 영구혁명론을 주장하는 마오쩌둥과 덩샤오핑鄧小平(1904년 8월 22일~1997년 2월 19일: 중화인민공화국의 정치가로 1981년부터 1983년까지는 국가원수, 1978년부터 1983년까지는 중국인민정치협상회의 주석, 1981년부터 1989년까지는 중화인민공화국 중앙군사위원회 주석을 역임했다. 중국공산당의 소위 2세대의 가장 주요한 인물이다. 1968년 문화대혁명 때 박해를 받기 시작한 이래, 여러 번 마오쩌둥의 박해를 받기도 했지만 기적적으로 복귀, 중화인민지원군 총참모장, 중화인민공화국 국무원 부총리 등을 지냈고 1981년부터 1983년까지는 국가원수직에 있었다. 1983년 이후 국가원수직과 인민정치협상회의 주석직에서 물러났지만 군사위원회 주석직에 머무르며 실권을 쥐었다. 1989년 천안문 사태의 강경 진압을 주관하는 한편, 한때 국가 주석직의 교체에 관여하고, 군부 내에 세력을 형성한 양상쿤을 몰락시키고 장쩌민을 후계자로 내정하는 등의 막후 실력을 행사하였다. 오랜 정치 경력을 거치며, 권력을 다졌으며, 1970년에서 1990년대에 이르기까지 중국에서 실질적인 지배력을 행사했다. 경제정책은 흑묘백묘론黑白猫論을 통한 실용주의 노선을 추진하고, 정치는 기존의 사회주의체제를 유지하는 정경분리의 정책을 통해 덩샤오핑은 세계에서 유례가 없는 중국식 사회주의의 창시자가 되었다), 류사오치 등의 실용주의파 간의 대립이 시작되게 되었다.

1966년에는 마오쩌둥 측근의 문예비평가 야오원위안姚文元이 북경시 부시장 우한吳晗을 비판한 논문 「신편역사극 해서파관비평新編歷史劇海瑞罷官批評」을 발표한 것을 계기로 문화대혁명이 촉발하게 되었다. 그리고 이에 자극을 받은 대학생들을 중심으로 한 홍위병紅衛兵의 등장으로 10년 재앙이 시작되게 된다.

한편 대약진운동의 실패는 마오쩌둥으로 하여금 책임을 지고 일선에서 물러나게 만들었는데 이후 등장한 인물이 당시 당의 제2인자였던 류사오치였다. 류사오치의 조정·완화정책은 경제의 회복을 가져와 그의 정치적 기반을 강화시켜 주는 것 같았지만 문화대혁명으로 마오쩌둥에 의해 숙청을 당하게 됨으로써 권력은 다시 마오쩌둥과 그의 추종자들에게 넘어갔다. 그 후 중국공산당은 경제적 낙후에도 불구하고, 공산당의 입지와 기반을 튼튼히 하게 되었다. 문화대혁명은 마오쩌둥, 임표의 주류파가 류사오치, 덩샤오핑 등의 실권파를 숙청하는 3년간의 치열한 투쟁을 거쳐 마오쩌둥의 절대적인 지도체제를 확립하게 된다.

중국공산당은 4구운동(낡은 사상, 낡은 문화, 낡은 풍속, 낡은 습관을 분쇄한다)을 전개하면서 종래의 전통적인 모든 문화와 역사적 잔재들을 일소시키는 소위 문화대혁명文化大革命[정식 명칭은 프롤레타리아 문화대혁명Great Proletarian Cultural Revolution, 무산계급 문화대혁명: 마오쩌둥이 중국의 혁명정신을 재건하기 위해 자신이 권좌에 있던 마지막 10년간(1966~1976)에 걸쳐 추진한 대격변이다. 중국이 소련식 사회주의 건설노선을 따라 나아갈지도 모른다는 우려와 자신의 역사적 위치에 대한 우려 때문에 마오쩌둥은 역사의 흐름을 역류시키기 위해 사상 유례없는 노력을 기울여 중국의 여러 도시를 혼란 상태로 몰아넣었다. 홍위병에게 모든 전통적인 가치와 '부르주아적'인 것을 공격하게 했으며, 당의 관료들을 공개적으로 비판함으로써 그들의 혁명성을 점검했다. 운동은 신속히 확대되었다. 수많은 노인들과 지식인들은 말로만의 공격이 아니라 육체적으로도 학대받았고 많은 사람들이 죽음을 당했다. 그 후 1976년 마오쩌둥의 사망과 마오쩌둥의 추종자인 4인방의 몰락과 함께 10년간의 문화대혁명은 종결되었다]을 실시하게 된다.

사실 문화대혁명이란 마오쩌둥이 자신의 권력을 더욱 공고히 하고 반대파들과 자본주의를 옹호하는 세력들을 청산할 목적으로 실시된 폭압적 정책이라고 할 수 있다. 이때부터 중국공산당은 전국적으로 마오쩌둥 우상화를 실시하는 동시에 인민들에게 마오쩌둥 어록을 가르치고, 사상토론회를 개최하고 공개비판회를 개최하면서 남은 반공산세력을 제거하게 된다. 그리고 북경대학교와 청화대학교 학생들을 중심으로 젊은 공산청년들을 모아 홍위병을 구성하여, 전국을 돌면서 모든 문화적 유산들을 파괴하는 일을 전개하였으며, 마오쩌둥은 장칭江淸을 중심으로 한 4인방四人幇(마오쩌둥이 주도했던 문화대혁명 기간 중 가혹한 정책을 수행했다는 죄목으로 유죄판결을 받은 급진적인 정치 핵심집단으로 마오쩌둥의 3번째 부인인 장칭과 왕홍원王洪文·장춘차오張春橋·야오원위안姚文元을 가리킨다)을 권력핵심부에 포진시킴으로써 자신의 권좌를 더욱 공고히 하였다.

문화대혁명은 1976년에 이르러, 마오쩌둥의 사망(1976년 9월 9일)과 주은래周恩來의 사망(1976년 1월 8일), 그리고 당산대지진 등으로 일단락을 맺게 된다. 오늘날 중국은 이를 중국 현대사의 최악의 재앙으로 보는 시각이 허다하다. 중국 국민들은 문화대혁명을 통해 반목과 비판과 상호 불신을 품고 남은 역사를 살아가게 되었다. 그래서 마오쩌둥을 가리켜 실패한 영웅이라고 부르는 이유도 여기에 있다. 마오쩌둥이 중국공산화에는 성공했지만 국민들에게는 가난을 가져다주었기 때문이다.

1976년은 실로 중국인들이 말하는 3신위기(공산주의의 위기, 공산당의 위기, 공산주의 영도력의 위기)이라고 평가할 만한 큰 사건을 기록한 한 해이자, 중국공산주의와 중국 국민에게 새로운 미래를 여는 중대한 계기가 되는 해였다.

한편 1977년에는 덩샤오핑이 복권하게 되었다. 덩샤오핑은 적극적으로 경제중심의 실용주의 노선을 표방하였으므로 당시 실무파들

덩샤오핑鄧小平

이 다시 대거 복권하게 되었다.

덩샤오핑은 1978년 4개 현대화 노선(공산당 제11기 3중전회: 과학기술의 현대화, 농업 현대화, 공업 현대화, 국방의 현대화)을 주창하면서, 이른바 중국식 실용주의 혹은 수정 자본주의 형태의 경제개혁을 실시하게 된다. 계급투쟁 강령이라는 사회주의식 구호를 버리고 실사구시實事求是와 일치단결이라는 지도방침을 세우고, 개혁개방을 실시하게 된다. 또한 개혁개방 정책의 추진과제를 국민경제의 균형, 농업발전의 가속화, 건전한 사회민주주의와 사회주의 법제강화에 두었다.

이러한 개혁개방 정책의 과정에서 1979년 미국과 국교를 수립하게 되었으며, 1980년 8월에는 심천深川, 주해珠海, 산두汕頭, 하문廈門의 4개 경제특구의 설치를 통해 융통성 있는 경제정책을 실시하기도 했다. 한편 연해항구도시를 개방하였으며, 1988년 4월에는 해남성海南省을 경제특구로 신설하였다.

그러나 경제적으로 대외개방을 천명하게 됨에 따라 경제발전에 따른 정치발전을 요구하는 학생들의 과격한 시위가 일어나기 시작했다. 이에 덩샤오핑이 이끄는 보수파들은 개혁파의 대표주자인 후야오방胡耀邦 총서기를 맹공하기 시작했다. 이에 후야오방은 총서기에서 물러나게 되고, 자오쯔양趙紫陽이 총서기로 부각된다.

자오쯔양胡紫陽   후야오방胡耀邦

　1988년 자오쯔양이 총리로 취임하고, 1989년 4월 15일 후야오방 총서기가 사망하자 그의 죽음을 애도하는 뜻으로 후야오방에 대한 명예회복 및 민주화를 요구하는 학생운동이 발생하게 되고, 시민, 노동자, 지식인들까지 이 시위에 참가하게 된다. 4~5월에 걸쳐 민주화 요구 시위는 전국으로 확산되고 천안문광장에는 지식인, 노동사, 일반 시민, 학생 등 약 100만 명이 연달아 대대적인 집회를 개최하게 된다.

　그러나 중국 정부는 1989년 6월 4일 새벽 계엄군을 천안문광장에 투입해 무기한 농성을 벌이던 학생, 시민들에게 무력진압을 전개한다. 시내 각처에서 시민과 계엄군의 충돌로 학생을 포함한 319명이 사망하고, 민간인 부상자가 3,000명, 계엄군 측 부상자 6,000명(당국 발표)을 발생시킨 최악의 유혈사태가 발생했다.

　이 천안문 사태는 당시 동유럽의 민주화와 공산주의 종주국 소련의 붕괴, 지식층 인사들의 불만, 해외유학파들의 처우개선 요구, 고르바초

프의 중국 방문 등을 계기로 촉발된 것이었다. 중국은 이에 대하여 계엄을 선포하고, 학생과 시민들을 사살하는 엄격한 대응을 실시하였다.

천안문 사태 이후 1990년 제13기 4중전회中全會서 자오쯔양 총서기는 민주화 시위를 지지, 당을 분열시켰다는 이유로 총서기와 중앙군사위 제1부주석 등 모든 공직에서 해임되고 장쩌민江澤民(임기 1989~2002) 상해시 당서기 겸 정치국위원이 총서기로 선출되었다.

11월 5중전회에서 덩샤오핑은 당 중앙군사위 주석직을, 1990년에는 자신의 마지막 직책이던 국가중앙군사위 주석직을 사임하고, 후임으로 장쩌민 총서기가 두 직책을 승계했다. 1990년 1월 11일 북경시 계엄령이 해제되고, 천안문 사태는 역사의 뒤안길로 사라졌다.

그리고 1997년 7월 1일에는, 역사적으로 1842년 남경조약에 의해 영국에 영구 할양되었다가 1898년부터 99년 동안 영국의 통치를 받아오던 홍콩이 중국으로 영구 귀속하게 되었고, 이어서 1999년 12월 20일에는 역시 포르투갈의 지배를 받아오던 마카오가 중국으로 반환되게 되었다.

또한 2001년 11월 10일에는 WTO(세계무역기구)에 정식 가입하게 됨으로, 중국과 중국 국민들은 이제 개발도상국에서 벗어나 선진국으로의 도약을 꿈꾸고 있으며, 2008년 8월 8일 베이징올림픽을 개최하여 중국의 국력과 문화대국으로서의 중국의 가치를 세계에 알리기도 했다.

덩샤오핑 이후 중국공산당 지도자들은 신흥新興자본가계층의 요구, 정치 양극화 해소, 부정부패 방지 등의 문제를 해결해야만 했다. 1997년 9월 12일에 거행된 중공 제15차 전국대표대회에서 장쩌민은 국유 기업 개혁을 명분으로 내걸고 '계획경제'의 탈피를 선언했다. 그는 2000년에 삼개대표론≡個代表論(기존의 수많은 당원들이 이미 자본가가 된 현실을 반영하고, 우수한 민영 사업가들을 공산당원 자격을 부여하고자 하는 의도를 보여주는 것이다. 또한 '삼개대표론'은 '중국공산당은 선진생산력의 발전요구, 중국 선진문화의 전진 방향, 중국의 광대한 인민의 근본 이익을 시종 대표해야 한다'는 것을 말한다)을 제기해 기업인들이 공산당에 입당할 수 있는 근거를 제공했고, 2004년에는 이 '삼개대표론'을 헌법에 명문화시켰다.

장쩌민을 이은 후진타오胡錦濤(임기 2002~2012)는 '사회주의 조화사회社会主義和谐社会' 및 '사회주의영욕관社会主義荣辱观'을 들고 나와 중국 사회의 고질적인 양극화와 부정부패 문제를 해결하려고 했다. 후진타오의 '사회주의 조화사회'란 전면적인 소강사회小康(소강사회는 경제발전, 민주적 정치, 문화 번영, 조화로운 사회, 아름다운 환경, 윤택한 생활, 풍요로운 삶, 국력신장 등 경제, 정치, 문화가 조화롭게 발전하는 사회를 말하며 민족 부흥을 향한 사회 발전 단계이다)를 실현함에 있어서 사회의 불균형·불평등 발전보다는 '조화和諧'로운 발전을 추구하자는 것이다. 사회주의 영욕관은 공산당 간부들과 청소년들이 갖추어야 할 '8가지 영광과 치욕八荣八耻'을 말한 것이다.

장쩌민시대부터 시작된 집단지도체제는 후진타오시대에 와서 더욱 강화되었다. 집단지도체제란 '중국공산당 중앙정치국 상무위원들의 합의에 의한 통치'를 의미한다. 이 집단지도체제는 노선이 다른 상무위원 파벌 간의 협상과 합의로 국정 전반에 대한 통치가 이루어진다는 점에서 중국 특색의 협상민주제도라는 평가를 받는다.

2014년 현재 중국공산당 최고 지도자는 시진핑習近平(임기 2012~)이다. 시진핑 체제는 그 어느 때보다도 복잡하고 어려운 도전에 직면해 있다. 따라서 중국의 미래는 시진핑 등의 중국공산당 지도부가 향후 10년간 중국 내의 정치민주화 요구, 소득분배, 빈부격차, 지역격차, 부정부패, 민족분규, 환경문제 등에 어떻게 대처하느냐에 달려 있다.

장쩌민江澤民   후진타오胡錦濤   시진핑習近平

2장

중국의 자연

중국의 공식명칭은 중화인민공화국中華人民共和國(Peple's Republic of China: 약칭 PRC로 표기한다)이다. 그리고 중국의 건국일은 1949년 10월 1일이다. 중국에서는 공산당에 의해 중국이 새로이 건국되었다는 관점에서, 현재의 중국을 '신중국新中國'이라고도 부른다.

중국 국토의 총면적은 약 960km²이다. 여기에 중국의 영해 약 300만km²를 포함하면 총 1,260만km²이다. 현재 중국의 영해는 12해리 (1958.9.4 선언, 1992.2.25 영해 및 접속수역법 제정공포)로 선포하고 있으며, 그 영해는 동남해를 중심으로 하여 5,000여 개의 부속 섬들로 구성되어 있다.

중국의 국제연합(UN) 가입일은 1971년 10월이며, 현재 유엔 안보리 상임이사국으로 되어 있다. 그리고 현재 중국의 행정구역은 22개의 성省, 4개 직할시, 5개의 소수민족자치구, 2개 특별행정구(홍콩은 1997.7.1 영국으로부터 인수, 마카오는 1999.12.20 포르투갈로부터 인수)로 구성되어 있으며, 중국은 대만을 23번째 성으로 간주하기도 한다.

중국의 국토

고고학자들은 중국 대륙은 히말라야 산의 조산운동의 산물이라고 말한다. 그래서 중국 민족은 히말라야 산의 조산운동 이후에는 서남 고원지대로 이동하게 되었고, 다시 4방으로 흩어져 살다가, 시간이 흐르면서 다시 중국의 전 지역에 거주하게 되었다고 말한다.

중국 국토의 총면적은 약 960만㎢로, 지구 육지 총면적의 1/15이고, 아시아의 1/4를 차지한다. 이는 대략 유럽의 면적과 비슷하다고 볼 수 있다. 한반도 전체 면적의 약 44배 정도이고, 남한 면적의 약 96배나 된다. 쉽게 설명하자면 황해 건너 우리나라와 가장 가까운 산동성 하나만 보더라도 남한의 크기보다 크다. 산동성을 동서로 관통하자면, 서울부터 부산까지의 이동 시간보다 많이 소요된다.

중국에는 동서를 가르는 두 개의 큰 강이 있는데, 하나는 황하강黄河江으로 5,464km이고, 다른 하나는 장강長江(양자강)으로 6,300km이다. 그리고 중국의 해양은 18,000km에 달하며 5,000여 개의 섬이 있다.

현재 중국의 국토는 산지 33%, 고원 26%, 분지 19%, 평원 12%, 구릉 10%로 구성되어 있으며, 이것을 일반적으로는 4대 고원과 4대 분지, 3대 평원, 5대 구릉지로 형성되어 있다고 한다.

(1) 4대 고원(청장 고원, 내몽고 고원, 황토 고원, 운귀 고원)은 해발 1,000m 이상인 고원지대로 주로 임업과 목축업에 적합한 토양과 일조시간, 기온 등을 갖추고 있다.

(2) 4대 분지(탑리목 분지, 준갈이 분지, 시달목 분지, 사천 분지)는 주로 사막, 오아시스, 호수, 내륙하천, 초원 등으로 구성되

어 있어서 온화한 기후와 풍부한 광물자원으로 농업경제와 광
업에 용이한 지역이다.

(3) 3대 평원(동북 평원, 화북 평원, 장강 중하류 평원)은 오랜 시
간에 걸친 충적토양과 풍부한 강우량으로 비옥한 토양을 만들
어 농업생산에 좋은 조건을 갖추고 있다.

중국은 국토의 66%가 산지와 구릉지로 형성되어 있으며, 그중 산
지의 65%는 해발 1,000m 이상의 고지에 자리 잡고 있는 실정이다.
중국 서북부의 경우, 국토의 7%만이 농업용지로 사용되고 있으며,
최근에는 국토의 토양유실과 사막화 현상의 영향으로 점점 생산용
지가 감소되고 있다. 한편 중국의 농산물은 동부의 농업 생산지구와
3대 평원에서 전국의 90%의 농산물이 생산되고 있다.

현재 중국 정부는 세계적으로 문제가 되고 있는 사막화와 황사의
문제, 그리고 식수난과 농업용지의 감소문제를 해결하기 위하여 전
국적인 식수조림사업을 실시하고 있다.

중국의 자연자원

중국은 자연자원이 풍부한 나라이다. 광활한 토지와 넓은 해양을 토대로 산출되는 많은 자원 외에도 중국에는 각종 생물자원과 광물자원이 풍부하다.

생물자원이란 식물자원과 동물자원으로 구성되는데, 삼림, 목초식물, 야생동식물, 수산물이 여기에 속한다. 그리고 광물자원은 에너지광물, 금속광물, 비금속광물로 나누어진다.

식물은 3만여 종의 식물이 존재하는데, 그중에 나무는 2,800여 종이 있다고 한다. 동물자원은 육지파충류가 2,070여 종, 조류가 1,183여 종, 담수어가 500여 종, 주된 해양어류가 1,500여 종이 있다고 한다.

대표적인 식물자원으로는 금전송, 대만삼, 향과수, 수삼, 은행, 은삼 등이 유명하며, 동물자원으로는 판다, 따오기, 도롱뇽, 철갑상어, 영양 등이 유명하다. 해양자원으로는 새우와 게가 많이 산출된다고 한다.

광물자원은 현재 140여 종이 있는데, 132종은 세계상으로도 보유량이 많은 자원이라고 한다. 특히 중국의 텅스텐, 주석, 희토, 유철광, 티나늄, 아연, 바나듐 등의 매장량은 세계 최대의 수준이며, 석유, 석탄, 납 등도 세계적으로 풍부한 것으로 알려져 있다.

중국의 행정구역

중국 정부는 중국의 행정구역을 성省급과 특별행정구特別行政區, 주州급, 현縣급, 그리고 향鄕과 진鎮으로 나누고 있다.

현재 중국은 22개 성省(성은 우리나라의 도에 해당하는 행정구역
이며, 중국정부는 대만을 23번째 성으로 간주하기도 한다.)·5개 자치
구自治區·4개 직할시直轄市·2개의 특별행정구의 33개 성급행정구역省級
行政區域으로 구획되어 있다.

중국의 4개 직할시로는 북경시, 천진시, 상해시, 중경시가 있고, 5개
자치구에는 내몽고 자치구, 신강위구르 자치구, 서장 자치구, 광서장
족 자치구, 영하회족 자치구가 있다.

중국의 4대 직할시인 북경北京과 천진天津, 상해上海, 중경重慶에 대해
간략히 소개하면 다음과 같다.

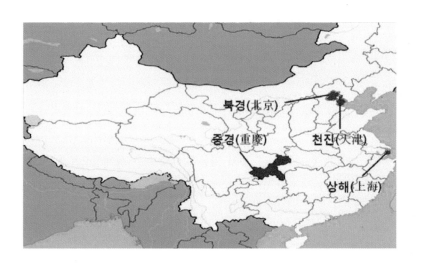

먼저 북경北京은 화북 평원 북부에 위치해 서쪽은 황토고원, 북쪽
은 내몽고로 약칭을 '경京'이라 한다. 대륙성 기후로 겨울은 한랭건
조하고 여름은 고온에 비가 자주내리며, 공식 인구는 약 1,200만 명
정도지만 유동 인구까지 합치면 거의 1,700만에 이른다. 특히 평원

과 산지 및 고원을 잇는 특수한 지리적 요건으로 인해 춘추전국시대
는 연燕나라, 금金나라 때는 연경燕京, 원元대에는 대도大都, 명대와 청대
는 북경이란 이름으로 각각 수도를 정해 줄곧 중국 역사의 중심에
있어 온 도시이다.

북경은 중국 역사의 중심에 있다. 자금성과 천단, 옹화궁, 이화원,
북해공원, 향산공원 등 수많은 역사고적과 문물이 전해지고 있다.
근교에는 팔달령과 겨울 빙등제가 열리는 용경협도 유명하다.

지금성紫禁城   이화원頤和園   용경협龍慶峽 빙등제

천진은 중국 화북 평원華北平原 동북단, 하북성河北省 동부에 있는 중
앙직할시이다. 북경·상해 다음가는 중국 제3의 도시이다. 천진(직
할시의 도심)은 중앙 베이징의 남동쪽으로 약 96㎞, 황해의 발해만渤
海灣으로부터 약 56㎞ 내륙에 자리 잡고 있다. 베이징이나 상하이와
마찬가지로 국무원國務院의 직접적인 통제를 받는다. 천진은 원나라
(1260~1370) 때부터 무역과 상업의 중심지였다. 상하이 다음가는
중국 제2의 공업 중심지이며, 화북 지방의 첫째가는 항구이다. 천진
은 19세기 유럽인 무역상 집단의 출현 훨씬 이전부터 대도시 중심
지로 유명했다. 바다와 인접해 있고, 베이징의 상업적 관문으로서의

천진민속박물관 천후궁天后宮

역할은 민족적으로 다양하고 상업적으로 혁신적인 주민의 성장을
촉진시켰다. 수공예품, 토기입상土器立像, 수채목판手彩木板 인쇄물, 다양
한 해산물 요리 등이 유명하다.

시내에 천후궁天后宮과 고문화 거리 및 설날 집에 붙이는 연화年畵로
유명한 양류청楊柳靑, 석가石家대원 등이 있으며, 주변에 계현薊縣의 반
산盤山, 독락사獨樂寺 등이 있다.

상해上海는 세계에서 가장 큰 항구 중의 하나이며 중국의 주요 산
업·상업의 중심지이다. 상해는 장강의 입해지점에 위치한 중국 최
대의 공업도시이자 무역항으로, 철도나 항공, 해상교통의 중심지이
며, 공식 인구는 약 1,500만 명이지만 역시 상당한 유동 인구로 인
해 실제는 2천만 명에 이른다. 원래 시골이었던 이곳은 1291년 원

대에 처음 현으로 지정하였으며, 1842년 영국과의 아편전쟁으로 인해 남경조약을 체결한 후에 조계지로써 세관 및 군대주둔, 영사재판권 등을 획득한 서구 열강들에 의해 100년간 중국 침탈의 중요 거점이 되었다. 이 시기에 세계와의 교류창구 역할을 하면서 반식민지 형태의 기형적 공상업 기지로 발전하였으며, 기후는 아열대로 사계가 분명하나 변화가 심해 여름은 더울 뿐 아니라 습도가 매우 높다.

1949년 공산정권이 들어선 이후로는 거대한 산업도시로 발전했다. 이곳에서 생산되는 제품은 점차 늘어나는 중국의 국내 수요에 충당되고 있다. 교외 공업지구와 주택단지가 세워지고 토목공사도 이루어졌을 뿐만 아니라 공원과 그 밖의 오락시설이 마련됨에 따라 도시가 크게 변모했다.

상해 시내에 예원豫園과 용화사, 옥불사 등의 고대 관광지와 우리나라 임시정부 청사가 있다. 중국과 서양식 건축이 조화된 황포강변의 외탄은 화려한 조명이 강물에 비치어 야간 관광 코스의 필수로 자리 잡은 상해의 대표적 풍경이다.

대한민국 임시정부청사   상해의 야경

예원豫園

　중경重慶은 중국 남서부에서 으뜸가는 하항이자 공업 중심지로, 반
도半島 모양으로 튀어나온 바위산을 깎아 세운 도시이며, 동중국해로
부터 2,250㎞ 정도 내륙으로 들어온 지점의 양자강揚子江과 자링강嘉
陵江의 합류지점에 있다. 제2차 세계대전 중에는 국민정부의 수도가
되기도 했으며, 대한민국 임시정부가 상해로부터 옮겨가 있기도 했
다. 중경시 자체는 구시가지(예전에는 성벽과 성문으로 둘러싸여 있
었으나 현재는 이름만이 남아 있음)와 그 인근 지역으로 이루어져
있으며, 보다 광범위한 중경 대도시권은 12개 현과 수많은 소도시들
로 구성되어 있다. 중경은 온난 다습한 기후이다. 친링산맥秦嶺山脈이
차가운 북풍을 막아주어 온난한 기후가 유지된다. 겨울에는 거의 혹
한이 없고 결빙되지 않으며, 여름은 무덥고 습하다. 4∼10월에 집중

적으로 비가 쏟아지며, 연강수량은 약 1,087㎜이다. 10~4월은 짙은 안개에 뒤덮인 날이 거의 계속되어, 내륙 항행과 비행 및 교통에 큰 지장을 준다. 충칭의 대기오염은 중국 내 어떤 도시보다도 심각한 편이다.

중경은 무더운 여름 날씨로 인해 무한, 남경과 더불어 중국의 3대 화로火爐로 꼽히고 있다. 주변에 많은 공원과 온천이 있으며 보정산寶 頂山과 북산의 석각 무릉의 부용동 및 삼국지에 등장하는 백제성白帝城 과 장비묘 등 많은 유적이 남아 있다.

중국은 2개의 특별행정구를 두고 있는데, 여기에는 홍콩香港특별 행정구, 마카오澳门특별행정구가 있다. 이 지역에서는 1국가2체제(한 국가 내에서 서로 다른 두 개의 체제를 인정하는 원칙을 말하며, 일 국양제—國兩制라고도 한다. 즉, 중국이라는 공산주의 국가 내에서 홍 콩과 마카오 지역에서만 자본주의를 인정해주는 체제를 말한다) 시 스템으로 운영되고 있다.

중국은 현재 행정구역을 다음과 같이 분류하고 있다. 성급은 6개 권역으로 분류하는데 그 내용은 아래와 같다.

(1) 화북구(華北): 하북성, 산서성

(2) 서북구(西北): 섬서성, 감숙성, 청해성

(3) 동북구(東北): 요녕성, 길림성, 흑룡강성

(4) 화동구(華東): 강소성, 절강성, 안휘성, 강서성, 복건성, 산동성

(5) 중남구(中南): 하남성, 호북성, 호남성, 광동성, 해남성

(6) 서남구(西南): 사천성, 운남성, 귀주성

중국의 주요성사省市

현재 중국은 개혁개방 정책의 실시와 최근 서부대개발 정책으로 인해 전역에 걸친 투자와 개발이 진행 중이다. 연해주에 이은 내륙 도시의 개방으로 전국의 주요 도시가 현대화된 도시로 탈바꿈하고 있으며, 농촌인구의 도시유입으로 인한 도시화가 급속히 전개되고 있다. 그래서 행정구역도 점점 세분화되는 경향이 있다.

중국의 다양한 민족구성

중국은 역사적으로 한족을 주류민족으로 하여 56개의 다양한 문화와 전통을 지닌 여러 민족으로 형성된 다민족국가이다. 한족漢族을 비롯한 56개 민족이 모인 13억 3,972만 4,852명(2010년 11월 1일

인구조사 통계자료)의 인구로 남녀 비율이 51.27:48.73으로 구성되어 있는데, 한족이 총인구의 92%를 차지하고 있다. 각 소수민족은 자기 고유의 언어를 사용할 수 있으며, 중국 정부는 소수민족 언어 이외에 한어漢語(표준어) 사용을 권장하고 있다.

55개 소수민족은 8%에 불과하다(2010년 제6차 인구조사통계자료). 여러 소수민족 중에서도 조선족은 교육열이 제일 높은 민족이다. 주로 요녕성, 길림성, 흑룡강성에 분포되어 있다.

중국인의 성씨姓氏에 대한 역사자료를 보면, 송나라 초기에 편찬된 '백가성百家姓'에서는 당시 중국의 성씨의 수는 484개(단수성 408개, 복수성 76개)로 보았으며, 그 후 편찬된 '중국인명대사전中國人名大辭典'에서는 4,129개의 성이 있다고 보았다.

최근에 발간된 『중화성씨대사전中華姓氏大辭典』에 의하면, 중국 역사상 모두 11,969개, 그중 단수성은 5,327개, 복수성은 4,329개, 기타성은 2,313개로 소개하고 있다. 그러나 현재 사용되는 성씨는 200여 개를 좌우하며, 그중 단수성은 100여 개로 본다.

1987년 인민일보의 조사에 의하면, 현재 중국의 한족 중에서 가장 많은 수를 차지하는 성씨는 이李씨 성으로 한족 전체의 7.9%를 차지하고 있으며, 그 다음은 왕王씨로 7.4%, 장張씨 7.1% 정도라고 한다. 그 외에도 16개 성(劉, 陳, 楊, 趙, 黃, 周, 吳, 徐, 孫, 胡, 朱, 高, 林, 何, 郭, 馬)씨가 주로 사용되는데, 위와 같은 19개의 성씨가 전국 인구의 절반 이상을 차지하고 있다고 밝혔다.

중국의 국장國章(국가의 권위를 나타내는 휘장)을 살펴보면, 중앙에 위치하고 있는 천안문(천안문은 5·4운동의 발생지이다. 또한 신중국 탄생의 집회장이며 민족정신의 상징으로 도안의 중앙에 배치했다)은 중국의 유구한 문화와 역사를 바탕으로 하는 중국인민의 반제국주의, 반봉건주의 민족정신을 상징한다고 하며, 천안문 아래의 둥근 황금색 톱니바퀴와 주위의 곡식들은 각각 '노동자계급'과 '농민계급'을 상징한다고 말한다.

중국 국기는 오성홍기五星紅旗이다. 붉은 바탕(紅旗)은 혁명革命을, 황색의 오성五星은 붉은 대지로부터 밝아오는 광명光明과 미래를 상징한다. 그리고 황색의 오성 중 가장 큰 별과 주위 네 개의 별은 각각 '중국공산당'과 '중국인민(노동자, 농민, 군인, 지식인)'을 대표하며, 중국공산당의 지도하에 조화, 단결하는 인민을 나타낸다고 한다.

국장國章   오성홍기五星紅旗

중국의 정치체제는 당黨과 정政으로 구분된다. 당은 중국공산당이 대표하고, 정은 전국인민대표대회(전인대)와 국무원이 대표하고 있다. 정치권력의 핵심은 공산당에, 그 중에서도 중앙정치국 상무위원회(9명)에 있다.

국가권력은 입법(전인대全人大), 사법(최고인민법원), 행정(국무원)으로 구분되지만 헌법상 국가최고권력기관은 전국인민대표대회이다. 이 전인대는 매년 1회 대회를 개최한다. 국가주석, 국무원, 최고 인민법원의 최고 책임자는 모두 전인대에서 선출한다.

중국 국가國歌는 1935년에 극작가인 전한田漢(1898~1968)이 가사를 쓰고, 섭이聶耳(1912~1935)가 곡을 붙인 의용군행진곡義勇軍進行曲이다. 이 의용군행진곡은 1935년에 만들어진 곡으로, 1930년대 일본의 침략하에 있던 중화민족으로 하여금 단결과 항일정신을 고무시키고자 상해전통공사上海電通公司에서 촬영한 영화 <풍운아녀風雲兒女>의 주제가로 만들어진 것이다. 이 영화는 1930년대 초 시인 신백화辛白華를 중심으로 하는 중국 지식인들이 조국을 구하기 위해 과감하게 펜을 던져버리고 항일전선에 뛰어들어 일본군을 맞아 용감하게 싸우는 내용이다. 그런데 이 노래가 영화의 처음과 마지막 부분에 두 차례 나오면서 관객들에게 깊은 인상을 주었다. 점차 일본군의 중국 침략이 본격화되면서 이 노래는 중국 국민들 사이에서 널리 불리게 되었다. 따라서 이 노래에는 당시 일본군의 침략에 저항하는 중국인들의 결연한 기개와 조국에 대한 열정적인 애정이 담겨 있다. 그 후 1949년 9월 27일, 중국인민정치협상회의 제1차 전체회의에서 화가 서비홍徐悲鴻이 이 노래를 국가로 사용할 것을 최초로 건의했고, 1978년 제5차 전국인민대표대회 제1차 회의에서 통과되어 '의용군행진곡'이 정식으로 '중화인민공화국국가中華人民共和國國歌'로 채택되었다. 중국 국가의 내용은 다음과 같다.

起来!
不願做奴隷的人們!

일어나라!
노예가 되길 원치 않는 사람들아!

把我們的血肉,築成我們新的長城!	우리의 피와 살로, 우리의 새로운 장성을 건설하자.
中華民族, 到了最危險的時候.	지금 중화민족은 가장 위험한 때가 닥쳐왔다.
每個人被迫著發出最後的吼聲.	모든 사람은 최후의 함성으로
起來! 起來!! 起來!	일어나라! 일어나라! 일어나라!
我們萬衆一心,	우리 모두 일치단결하여
冒着敵人的炮火, 前進!	적의 포화를 뚫고 전진하자!
冒着敵人的炮火, 前進!	적의 포화를 뚫고 전진하자!
前進! 前進! 進!	전진! 전진! 전진!

또한 중국의 국화國花는 목단牧丹(모란)이다. 모란은 전통적으로 중국을 대표하는 꽃이다. 예로부터 모란은 '꽃의 제왕' 또는 '부귀'의 상징으로 인식되면서 많은 중국인들로부터 사랑을 받아왔다.

현재 중국의 주요 정책으로는 경제건설을 위주로 하는 중국식 특색 있는 사회주의의 건설, 대만과의 통일실현, 국제사회에서의 패권주의를 반대하고 세계평화를 옹호함, 서부대개발과 부패추방, 환경문제 해결 등이 있다.

중국의 국화國花 모란牧丹

3장

중국 민족성의 특징

민족성民族性이란 일반적으로 동일한 영역, 즉 언어 및 생활양식과 문화, 풍속, 역사를 공유하는 집단의 사람들이 공통적으로 가지게 되는 성품이나 특유의 기질을 말한다.

중국은 56개 민족으로 구성된 다민족국가이다. 오랜 옛날 황하를 중심으로 한 중원에서 생활하던 화하족華夏族은 주변의 수많은 소수민족과의 갈등과 동화를 통해 점차적으로 통일을 이루어 오늘의 중화민족을 이루었다.

중화민족의 구성원을 살펴보면 화하족의 후예인 한족漢族이 전체의 92%를 차지하고, 나머지 몽고족蒙古族, 티베트족西藏族, 위그루족維吾爾族, 묘족苗族, 이족彝族, 조선족朝鮮族, 만주족滿洲族 등 소수민족 등이 나머지를 차지한다. 물론 이들 소수민족도 중화민족의 범주에 속하기는 하지만, 현재까지도 자신들 나름대로의 고유문화와 생활을 영위해온 까닭에 여기에서는 주로 한족을 중심으로 중국인의 민족성을 살펴보고자 한다.

현재 중국인의 민족성에 대하여는 다양한 견해들이 있지만, 대체적으로 다음과 같은 특징들을 가지고 있다.

자연주의自然主義

농경사회를 바탕으로 한 중국 민족은 자연에 대한 순응의식을 갖고 발전하였다. 이러한 성향은 모든 문제를 하늘에 돌림으로써 대단히 포용력 있는 품성을 길러주었지만, 한편 삶에 대한 경쟁의식이 약화되어 소극적이고 체념하는 부정적인 면도 있다.

낙관주의樂觀主義

중국인들은 모든 현상에 대해 만만디漫漫地한 여유 있는 태도로서 살아감으로 삶에 대해 관조적이고 담백한 사고방식을 낳았다. 도가사상은 이러한 일면을 잘 반영해준다.

화평주의和平主義

자연과의 관계가 대립이나 극복이 아닌 조화와 순응이었기에, 중국 민족은 대단히 외유내강外柔內剛적인 면모를 지니게 된다. 따라서 매사에 조급하지 않은 새옹지마塞翁之馬(인생의 길흉화복은 변화가 많아 예측하기 어렵다는 뜻으로 이르는 말. 출전은 『회남자淮南子』의 「인간훈人間訓」이다. 옛날에 중국 북쪽 변방에 사는 노인이 기르던 말이 오랑캐 땅으로 달아나 낙심하였는데, 얼마 뒤에 그 말이 한 필의 준마를 데리고 와서 노인이 좋아하였다. 이후 그 노인의 아들이 그 말을 타다가 말에서 떨어져 절름발이가 되어 다시 낙담하지만, 그 일 때문에 아들은 전쟁에 나가지 않고 목숨을 구하게 되어 노인이 다시 기뻐하였다는 고사故事에서 나온 말로, 인생의 길흉화복은 변화가 많아 예측하기 어렵다는 뜻으로 이르는 말)적인 합리화는 도주하는 것이 최고의 전술이라는 기이한 면을 발전시킨 면도 있다.

유연주의柔軟主義

태극권太極拳에서 느낄 수 있는 느림과 부드러움은 유약함이 강함을 이긴다는 대단한 고집을 엿보게 한다. 한편 이러한 성향으로 소박함 속에서 진정한 가치를 찾으려는 겸손의식을 낳았다.

현실주의現實主義

중국인은 지나친 실용주의를 추구한다. 특히 종교에 대한 중국인의 태도는 이를 극명하게 보여준다. 돈을 벌게만 해준다면 아침엔 교회에 가고, 낮엔 회교사원에 가며, 저녁엔 절에도 간다는 것이다.

인내심忍耐心

중국은 역사적으로 왕조의 변천과 전쟁 등으로 국민들의 생활은 변동성이 심했다. 특히 정치적 격변기에는 현실정치에 참여했다가 목숨을 보존하지 못하는 경우가 다반사였다. 따라서 정치적 혼란기에는 자신의 생명을 유지하기 위해서 자연으로 은거하여 현실을 외면하고 자신의 욕망을 참아야 했다. 또한 중국의 북방지역에 살고 있던 사람들은 거칠고 척박한 자연환경 속에서 자신들에게 불리한 상황을 참아내면서 생활해야 했던 까닭에 자신들이 처한 환경 속에서 자연스럽게 인내성을 체득하게 되고, 이것이 민족성으로 형성되었다.

또 한편 중국인들은 우공이산愚公移山(어리석은 영감이 산을 옮긴다는 뜻으로, 어떤 일이든 꾸준하게 열심히 하면 반드시 이룰 수 있음을 이르는 말. 나이가 90에 가까운 우공愚公이란 사람이 왕래를 불편하게 하는 두 산을 대대로 노력하여 옮기려고 하자, 이 정성에 감동한 옥황상제가 산을 옮겨주었다는 고사에서 유래한 말이다)의 이야기처럼 몇 대를 거쳐서라도 산을 옮기려는 인내심이 있다. 이러한 정신이 만리장성을 가능케 한 것이지만, 반면에 강제결혼, 전족纏足(여자의 엄지발가락 이외의 발가락들을 어릴 때부터 발바닥 방향으로 접어 넣듯 힘껏 묶어 헝겊으로 동여매어 자라지 못하게 한 발을 이른다. 전족을 함으로써 여성의 몸매와 성의 생리적 변화를 유발하여 대를 잇는 출산의 도구로서의 역할을 더 잘하게 하려는 의도였다) 등과 같은 봉건사회의 각종 부도덕한 윤리와 풍습을 낳기도 하였다.

무관심無關心

중국인들은 정치적으로 민감한 사안에 참여했다가 오히려 자신의 목숨은 물론 가족과 가문 전체가 망하는 경우가 많았다. 특히 정치적으로 혼란할 때일수록 이런 경향은 더욱 심하여 아예 자신과 관계되지 않으면 철저하게 외면하는 것이야말로 자신을 보호할 수 있는 유일한 방법이었다. 문화대혁명文化大革命(마오쩌둥의 주도로 1966년

부터 1976년에 걸쳐 중국에서 일어난 대규모 사상, 정치 투쟁)에서
도 입증되듯이 당시 수많은 사람들이 주변 사람들의 일에 휘말려 모
진 고난을 겪어야 했다. 그래서 중국인들은 지금도 속으로는 관심을
가지고 있지만, 겉으로는 절대로 표현하지 않으며 무관심한 태도를
보이는 것이다.

우월감優越感

　중국인들은 오랫동안 자신들이 중화민족中華民族이라는 사실에 대
해 강한 자부심을 가지고 있다. 이들은 중국이 세계의 중심이고, 자
신들의 문화가 가장 뛰어나다고 생각한다. 이러한 민족적 우월감은
주변의 이민족들을 야만적인 오랑캐로 여겨 업신여기며, 그들의 문
화를 낮게 평가하는 요인으로 작용했다. 하지만 자신의 실력을 제대
로 평가하지 못한 채 중화민족이라는 우월감에 빠져 있던 중국은
1840년 아편전쟁阿片戰爭(1840~1842년 중국 청나라와 영국 사이에
아편 판매 문제 때문에 일어난 전쟁) 이후부터 1949년 중화인민공화
국이 건국될 때까지 오랫동안 내우외환內憂外患에 시달리게 된다.

향락성享樂性

　중국은 한漢나라 때부터 유교儒敎가 이념적 통치기반이 되어왔다.
유교는 내세보다는 현실을 중시했던 까닭에 현재의 삶을 중시했다.
그러다 보니 많은 사람들은 한 번뿐인 인생을 마음껏 즐기려는 향락
적인 심리가 팽배하기도 했다.

체면주의

중국인은 체면을 대단히 중요시 여긴다. 미엔즈面子(체면)에 죽고 산다. 따라서 서로 서로가 상대의 체면을 살려주는 것이 중요하다.

한편 중국 학자들은 중국 민족이 역사적으로 형성된 중국 민족만의 독특한 특성을 가지고 있는데, 대체로 중국 민족은 다음의 11가지 특성을 지닌다고 말한다.

(1) 낙관주의적이고 발전적인 인생관을 소유함.

(2) 평화롭고 안정을 중시하는 심성을 소유함.

(3) 통일성과 집단에 대한 애호심이 강함.

(4) 공동체성과 개성을 동시에 추구함.

(5) 공동체적 이상을 추구함.

(6) 자강분진自强奋進(스스로 몸과 마음을 가다듬고, 기운을 내어 앞으로 나아감)을 추구함.

(7) 도덕적 수양을 추구함.

(8) 넓은 포용심을 소유함.

(9) 강렬한 민족의식을 소유함.

(10) 강한 적응력을 소유함.

(11) 문화계승력을 소유함.

그리고 중국 민족의 발전과정에서 나타난 발전의 기본특징들이 있는데, 대체적으로 3가지로 나눌 수 있다고 한다. 기본특징들을 자세히 살펴보면 다음과 같다.

(1) 중국 민족은 화평과 전쟁이 상호 교체되면서 발전하여 왔다.

(2) 중국 민족은 통일과 분열이 상호 교체되면서 발전하여 왔다.

(3) 화평과 통일은 중국 민족의 형성발전의 주된 흐름이었다.

그러므로 중국 민족은 역사적으로 이러한 화평和平과 전쟁의 반복 과정에서 화평을 추구해왔으며, 통일과 분열의 역사 속에서도 통일을 추구하면서 중국 민족이 형성되고 발전되어 왔다는 것이다.

한편 중국 역사에는 민족전쟁, 농민전쟁, 침략전쟁의 3가지 형태의 전쟁이 있었는데, 고대시대에는 민족 간의 전쟁이 많았다. 대표적으로는 서한西漢시대에 흉노匈奴와의 전쟁, 당나라와 투루판(신장 위구르지역)과의 전쟁을 예로 들 수 있다.

이러한 전쟁 속에서도 중국 민족은 화평을 중시하고, 결과적으로는 화평을 이루는 발전과정을 이루어왔다고 한다. 그리고 중국 민족은 통일과 분열의 과정에 있어서도 통일을 추구하여 왔으며, 발전과정의 끝에는 항상 통일을 이루어왔다고 주장하고 있다.

이러한 중국 민족의 발전과정을 살펴보면 다음과 같다.

(1) 통일(상商, 주周)

(2) 분열(춘추전국春秋戰國시대) - 통일(진秦, 한漢)

(3) 분열(삼국시대三國時代) - 통일(서진西晉)

(4) 분열(남북조시대南北朝時代) - 통일(수隋, 당唐)

(5) 분열(오대십국五代十國) - 통일(북송北宋)

(6) 분열(금金, 남송南宋) - 통일(원元, 명明, 청淸)

4장

중국 문화 구성요소의 특성

중국 문화는 중국학의 중요한 구성요소인 중화자연과 중화민족을 기초로 이루어진 것이다. 즉, 중화자연의 자연과 중화민족의 인간이 결합된 결과이며, 이는 중국의 지리와 중국 안에 살고 있는 인류의 상호변환의 결과라고 할 수 있다.

중국 학자들은 문화를 인류사회의 발전과정 중에 생성된 물질적 재화와 정신적 재화의 중화라고 정의하는데, 이는 특정사회의 의식형태나 제도 혹은 조직들을 포함하는 것이다.

현대 중국의 문화는 남방과 북방이라는 지리적 특성에 따라 독특한 성격과 특색을 가지고 있음을 볼 수 있다. 학자들은 중국의 사회문화적 차이를 한마디로 표현하는데, 그 말이 바로 남유북강南柔北剛(중국에서는 남북을 비교하는 관점이 오래전부터 있었다. 남방 사람은 부드러운 반면, 북방 사람은 강하다는 뜻)이다.

남방지역은 문화와 경제를 특징으로 하며, 자원과 인재, 문화와 사상이 발달한 지역이다. 이 지역은 황하강과 태산준령 이남에서, 양자강을 중심으로 분포되며, 해남성을 포함하는 광대한 지역이다. 이

곳은 중국의 곡창이라고 할 수 있는 화북, 화중, 동남평원과 4대 분지 중의 하나인 사천분지를 포함한다.

북방지역은 정치와 군사를 특징으로 하며 동북평원과 몽고사막, 그리고 서북고원과 서장고원을 잇는 지역이라고 할 수 있다. 이 지역이 정치와 군사의 중심지역으로 발달한 것은 아마도 지리적 특성에 의하여 국토가 험하고 전쟁이 빈발하여 외국과의 외교적 협상과 군사적 대결, 그에 따른 국민정신의 통합과 일치, 빈번한 재난에 대한 국가적 대처 등의 필요에 따른 결과라고 여겨진다.

일반적으로 중국 문화를 구성하는 부분들은 다음과 같은 특성을 가진다.

인본성人本性

중국 문화는 인간을 본위로 하는 문화로서, 인생의 가치와 목표, 그리고 의의에 대한 진술과 실전을 핵심으로 한다. 이것은 인생과 백성을 중시하는 문화에 대한 표현으로서, 개인과 민중을 구별하지 않고 공동체와 일체로 보는 관념이다.

향토성鄕土性

중국 문화의 향토적 성격은 중국 사회의 농경문화로부터 기인된다. 농업을 본으로 살아온 전형적인 농업사회의 특징은 일정한 지역에 거주하면서, 대대로 동일한 지역에 삶을 발전시켜 오게 하였다. 특별한 천재지변이 일어나기 전에는 아무도 농사의 터전이 되는 지역을 떠나는 일은 극히 드물었다. 그리고 한곳에 오래 거주하면서 향토적 풍속과 단결과 우의를 유지하게 되었다. 그러므로 중국 문화는 이러한 향토성을 배경으로 형성된 것이다.

천인합일성天人合一性

중국의 고대사상의 중요한 문제는 문화방향에 대한 것들이었다. 인간이 객관세계에 참여하고 있다는 것 외에 하늘과의 관계에 대한 인식을 바로 세우는 작업이다.

고대로 하늘은 중국인에게 있어서 땅과 구분된 개념이 아니었다. 하늘은 바로 자연이므로 중국인은 삶 속에서 자연에 순응하는 삶을 통하여 하늘과 자연과 융합하여 살아왔다는 것이다. 즉, 이러한 사고는 중국 문화의 참여적 성격에서 비롯된 것으로 인간은 자연만물의 활동에 참여해왔으며, 이는 동시에 하늘과의 상호협력하에 삶을 영유해온 것이라는 것이다.

중정화평성中正和平性

중정화평의 의미는 정을 기초로 형성된 말인데, 중국인들은 대대로 중도中道(어느 쪽으로도 치우치지 않은 바른길)와 중용中庸(과하거나 부족함이 없이 떳떳하며 한쪽으로 치우침이 없는 상태나 정도)을 추구하고 화평을 귀하게 보고 살아왔다는 말이다.

여기서 중中이란 말은 사방의 거리가 같은 지점 혹은 양쪽 극단의 사이, 중간을 일컫는 말이다. 사물에 대하여는 양과 질 모두를 통합하여 모두를 중요시 여긴다는 태도를 가리키는 말이 되기도 하고, 시간적으로는 중용이라고 하여 어떠한 시간에 대하여 초과하거나 넘어서지 않는 자세를 말한다.

정正이란 말은 정중正中, 정직正直, 단정端正을 일컫는 말이며, 이는 중국인의 전통적으로 바른 삶의 예절을 의미한다. 그래서 중국인들은 정도와 대도를 추구하면서 살아왔다고 말한다.

평平이란 말은 평탄平坦, 공정公正, 평온平穩 등을 의미하는 말로서, 중국인들이 개인과 사회의 평온과 발전을 추구한다는 말이다. 즉, 중국인들은 평화를 구하고 평온한 삶을 추구하는 동시에 국가의 태평을 바라는 마음을 가지고 있다고 한다.

화和란 말은 모든 사물의 통일을 의미하며, 음악의 조화로운 음률과 화합을 의미하는 말이기도 하다. 이는 중국인의 화평, 조화를 추구하는 삶을 가리킨다.

다원통일성多元統一性

중국의 한족은 주류민족으로 역사와 문화를 주도해왔지만, 중국은 중국의 소수민족들과 지역적으로 문화적으로 상호교류하며 발전해왔다. 즉, 다양한 민족과 문화의 다원성을 인정하고 상호존중하며 발전시키는 동시에 한 국가로서의 통일성을 추구해왔다는 것이다.

이러한 특성으로 말미암아 중국은 다양한 민족문화와 유산들을 공유할 수 있게 되었고, 현재에까지 발전시켜 왔다는 것이다. 또한 다원성 속에서의 통일성은 문자의 통일, 통일된 문화정책의 실시, 통일된 민족정신의 고취 등을 통해 이루어왔다고 한다.

계승상속성繼承相續性

  계승상속성 중국인들이 중국의 문화유산들을 계승해 왔으며, 이는 지속적이고 연계성 있는 문화의 전승이었다는 것이다. 즉, 전통사상이나 역사적 전통들이 기초단계에서 현재에 이르기까지 계승과 발전을 지속해 왔다는 것이다.

  이는 중국의 주류인 한족문화의 계승과 발전뿐만 아니라 동시에 각 소수민족의 문화와 전통까지도 현재에 이르기까지 개별적으로 계승되고 발전되어 지속적으로 유지되어 왔다는 것이다.

5장

중국 문화의 특색

중국은 자연환경이 대단히 복잡한 국가로서, 기후적으로는 열대와 아열대, 난온대와 중온대, 한온대를 두루 망라한다. 동남 지역은 하계 계절풍의 영향을 받아서 비가 많고, 난주蘭州 서쪽의 광대한 서북 지역은 비가 아주 적다. 지형으로 보면, 중국은 산과 구릉이 많고, 육지의 평균 고도가 전 세계 육지 평균 고도의 두 배에 달한다. 기후로 보면, 남쪽은 따스하고, 북쪽은 추우며, 남쪽은 습하고 북쪽은 건조하다. 지형적으로 서쪽이 높고 동쪽이 낮으며, 동쪽으로 바다를 접하고 있는 등, 환경 차이가 지역 문화 차이의 자연적 배경이 되고 있다.

광대한 중국의 문화적 특색은 지리적으로 북방과 남방으로 나누어 고찰하고, 다시 남북 문화의 차이를 비교 설명하면서 중국 문화의 특색에 대해 소개하고자 한다.

북방지역

북방지역은 전통적으로 술 문화가 발달한 곳으로 중국의 하얼빈,

심양, 대련, 청도지역은 술 소비량이 가장 많은 지역으로 나타났다. 그리고 군사력이 발달해 만리장성이 건축된 국경선을 따라서 역대 왕조의 군사경계선이 되어왔는데, 이는 경제선(농업경계선)과 맞물려 있기 때문이기도 하다.

한편 역대 수도의 위치를 살펴보면, 항상 수도가 군사선 근처에 위치해 있음을 알 수 있다. 이는 역대왕조가 군사력을 바탕으로 하여 세워진 것임을 알게 하며, 정치와 외교의 효율성을 도모하기 위함인 것을 보게 된다. 그래서 국가 통치자는 군사력을 바탕으로 국가의 통일과 국태민안国泰民安을 힘써 온 것임을 알 수 있다.

특이한 점은 중국 역대의 국가통일 전쟁은 주로 북쪽에서 시작하여 남쪽으로 향하였으며, 이는 북방의 나라가 강한 군사력과 정치력을 바탕으로 남방의 나라를 함락하여 통일을 이룬 것을 알 수 있다. 예를 들면, 진시황이 전국을 통일하여 진나라를 세운 것을 비롯하여 한나라, 수나라, 당나라, 송나라, 원나라, 명나라, 청나라 등 모두가 그러하다. 특별히 원나라와 청나라의 경우 북쪽의 소수민족인 몽고족과 만주족이 기존 한족 중심의 지배세력을 무너뜨리고 건국한 것으로 유명하다.

남방지역

남방지역은 선진 사상과 문화의 시발지라고 할 수 있다. 중국의 유명한 시인이었던 이백으로 시작하여, 양계초梁啓超, 손중산孫中山 등이 그러하다. 그리고 현대 정치를 이끄는 인물들이 대부분 사천성四川省, 호남성湖南省, 상해시上海市 지역 출신이라는 점도 특이하다. 게다가 중국의 발달된 경제특구 중에서 주요 4대 경제특구가 모두 남방에 위치하고 있다는 사실이다.

남방지역은 또한 경제가 발달한 지역이라고 할 수 있는데, 이는 안정된 기후와 풍부한 용수와 넓은 평야를 기반으로 경제의 발달을 이루어온 지역이기 때문이다. 또한 해안을 중심으로 빈번한 외국과의 접촉을 통하여 새로운 문화와 기술들을 쉽게 전달받을 수 있는 환경적 영향 때문이다. 현재 속담에도 남방의 노변에는 광고판이 가득 세워져 있지만, 북방의 가두에는 신문판매대가 놓여 있다는 말이 회자할 정도이다.

또한 남방지역의 특이한 점은 문화와 교육이 발달한 점이다. 중국의 역사를 살펴보면, 중국의 과거시험제도에서 장원급제의 79%가 남방지역 인물들이며, 그 가운데서도 지금의 항주지역 주변과 소주蘇州에서 가장 많은 인재가 나온 것으로 알려져 있다.

이러한 문화의 계승성은 오늘날에도 그대로 이어져, 중국의 전국 1,100여 개 대학에 재직하는 교수 중에서 70% 이상이 남방 출신이며, 그중 강소성江蘇省과 절강성浙江省 출신이 가장 많은 것으로 나타났다. 게다가 전국 주요 대학의 간부급 교수 대부분이 남방 출신인 것으로 알려져 있다.

남북 문화의 차이

(1) 자연환경과 경제 환경의 상관성

북방지역은 환경적으로 인구 유동과 정보와 문화의 전달, 그리고 개발이 늦은 지역이다. 반면, 남방지역은 인구 유동이 심하고, 정보

교환이 신속하며, 새로운 문화접촉이 용이한 지리적 특성을 갖고 있음으로 경제적으로 유리한 점을 가지고 있다는 것이다.

(2) 자연환경과 문화발전의 차이점

남방지역은 경제적 기초와 안정된 기후, 그리고 지리적 여건의 우월성 때문에 전반적으로 좋은 교육환경을 갖추고 있다. 그래서 북방지역보다는 일찍이 문화가 발전하게 되었다.

반면, 북방지역은 각종 천재지변이 빈발하며, 계절풍 기후의 다변화로 생활여건이 좋지 않고, 외국과의 군사적 충돌이 많은 지리적 여건으로 인해 군사와 정치가 발달하게 되었다.

예를 들면, 중국 역사상 7,000여 건의 전쟁 중 70% 이상이 북방지역에서 일어났다. 이는 산이 많고 평원이 적은 지리적 환경으로 인해 많은 식량전쟁과 쟁탈전쟁이 있었음을 보게 된다. 또한 역사적으로는 북방의 많은 인재들이 4차례(① 위진남북조魏晉南北朝시대, ② 오대십국五代十國시대, ③ 남송南宋, ④ 명말청초明末清初시기)에 걸쳐 문화적 여건이 좋은 남방으로 내려갔다고 말한다.

중국 문화의 통일

중국 문화의 특색은 이러한 차이에도 불구하고 통일된 문화를 이루어왔다는 사실이다. 그 내용은 다음과 같다.

(1) 문자의 통일

중국에는 현재 주요 8대 언어가 존재하며, 650여 개 방언이 존재

한다고 알려진다. 그 원인은 자연환경에 기인하며, 자연환경에 의해 언어분열의 상황이 조성되었다고 한다.

이러한 상황에서 역사상 전국을 처음으로 통일하여 통일왕국인 진秦나라를 세웠던 진시황秦始皇의 위대한 업적은 무엇보다 문자의 통일이었다. 문자의 통일은 서적의 출판과 문학의 발전에 크게 기여하게 되었다. 결국 이러한 문자의 통일은 중국의 사상과 윤리를 통일시키고 문화의 번영을 가능케 하였다.

(2) 중국 민족의 통일

진시황이 전국을 통일하기 전 춘추전국시대의 사상가들을 지칭하는 제자백가諸子百家(특히 공자孔子, 맹자孟子, 순자荀子, 노자老子 등)의 공통사상은 이러한 중국의 지리적·민족적 상황과 문화적 여건을 반영하듯 중국 전체의 통일에 대한 것이었다. 이 넓은 지역에서 어떻게 많은 민족을 하나로 통일하고, 단일 언어와 사상과 문화의 울타리에 살게 하느냐는 것이었다.

중국은 다민족국가이다. 그러나 중국 역사를 살펴보면, 역대왕조의 대외관계에 있어서는 중국 민족의 다양성을 최대한 활용하면서도 통일된 한 나라로서의 정책을 보여주었다고 한다. 즉, 중국 학자들은 중국이 국제외교상 지배민족의 교체 혹은 왕조의 교체와 상관없이 중국 민족이라는 하나의 통일된 모습을 보여주었다는 것이다. 외교선상에서는 다양한 민족의 인재들을 사용하되 중국의 이름으로 보여졌다는 말이다.

언어적 관념으로도 중국어의 귀하다貴는 말은 당시에 중요한 것임을 가리키는 동시에 현재에도 역시 유익한 것을 가리킨다고 한다.

즉, 언어 속에 있는 의미는 중국이라는 하나의 국가 관념에서 출발한다는 것이다. 이는 중국의 문화가 어느 하나의 민족, 어느 시대의 한 왕조만을 가리키는 것이 아님은 물론 역대왕조 혹은 왕권의 교체와 상관없이 동일한 의미와 가치를 지닌다는 것이다.

6장

중국인의 의식주

의식주란 사람이 생활하는 데 기본이 되는 옷과 음식과 집을 통틀어 이르는 말이다. 중국인의 '의衣'생활 부분에서는 중국인들의 전통 의생활과 현대의 의복을 소개하였으며, '식食'문화에서는 중국인들의 기본적인 식생활을 설명하면서 차茶문화와 주酒(술)문화에 대해 소개하였다. 또한 중국인의 '주住'생활에서는 중국의 전통과 현대를 잇는 민간사옥에 대해 살펴보았다.

의생활

중국의 의복은 4,000여 년 전 요순堯舜시대 중원지방에서 마, 모시풀, 칡 등과 견직물을 이용해 입기 시작한 것으로 알려진다. 역사적으로 중국 사람들은 한복漢服을 착용해오다가, 청나라시대에는 남자는 안에 장삼과 밖에 검은 마고자를 입었고, 여자는 치파오旗袍라는 치마를 입게 했다고 한다.

1911년에는 신해혁명의 영향으로 청나라의 복장을 벗고 혁명의 상징인 중산복中山服이 유행하기도 하였으며, 1949년 공산화되고 나서는 앞에 두 줄의 단추가 장식된 레닌복이 유행하기도 했다고 한다. 1966년 이후에는 문화대혁명이 시작된 후, 혁명에 동참한다는 의미에서 인민해방군의 녹색 군복을 입었다.

중국인들은 과거 집에서 스스로 옷을 만들어 입었기 때문에, 새 옷 3년, 헌 옷 3년, 기운 옷 3년이라는 속담이 생길 정도로 검소하며 실용적인 생활을 해왔다. 중국 남자들이 좋아하는 옷의 색상은 주로 검은색, 남색, 회색, 백색을 좋아하고, 여자들은 남성들보다 화려하고 담백한 색상에 작은 꽃무늬가 새겨진 옷을 좋아한다고 한다.

지금은 젊은 계층을 위주로 서양의복 문화가 널리 퍼져 있다. 예전의 중국 도시, 농촌의 거리 풍경은 회색과 검은색의 연속이었으나 개방 이후 대도시의 젊은 여성, 대학생 위주로 멋 내기 옷을 많이 입게 되어 이젠 중국 어느 도시를 가든 예쁜 옷을 입은 중국인을 흔히 볼 수 있다. 대도시에서는 세계 최신 유행이 바로 수입되는가 하면 현대미와 중국 전통미를 결합하는 방향으로 발전되고 있다.

한복漢服

청대치파오　　　　민소매치파오　　　　　　현대치파오

중산복中山服　　　　레닌복　　　인민해방군의 녹색 군복

식생활

중국에는 "백성이란 먹는 것을 하늘처럼 섬긴다(民以食爲天)"라는 말
이 있다. 그래서 역대 천자天子의 최대 과제는 백성을 어떻게 먹이느
냐에 있었다. 적어도 먹게만 해주면 태평성대太平聖代라고 칭송받을
수 있었다. 그러나 그 많은 식구를 거느렸으니 먹이는 것이 보통 문

제가 아니었다. 역사상 중국 대륙에서 식량문제食糧問題를 완전히 해결한 적은 없다. 1959년에서 1961까지 3년간 진행되었던 대약진大躍進운동이 실패함으로써 당시 한국의 인구에 해당하는 무려 2천4백만 명이 굶어 죽었다고 한다.

중국 사람들의 먹는 것에 대한 집착은 대단히 강하다. 흔히들 한국 사람들은 인간이 살아가는 데 가장 중요한 것으로 '의·식·주' 세 가지를 든다. 그 어느 하나도 빠져서는 살 수 없다는 뜻이다. 이 중에서 중국인들은 '식'을 가장 우선적으로 꼽는다. 그래서 중국인들은 먹는 것 외에는 그다지 신경을 쓰지 않는다. 그들은 아무리 부자라 할지라도 외관에 그다지 치중하지 않는다.

중국 사람들의 결혼을 보면 재미있는 광경이 벌어진다. 한국처럼 엄숙하고 긴장되는 의식은 찾아볼 수가 없다. 그러니 예식장은 아예 없고 대신 음식점만 있을 뿐이다. 그런 것쯤이야 공증을 통해 순식간에 해결하고 손님에게는 음식점의 약도와 전화번호가 적힌 청첩장만 보내는 것으로 끝낸다. 한국인의 관점에서는 결혼식이 아니라 먹기 위해 모인 구경꾼처럼 느껴질 수 있다.

중국에서는 요리가 한국처럼 한꺼번에 나오는 것이 아니라 순서대로 하나씩 나오는데 큰 접시에 요리를 내놓는다. 이것을 탁자 가운데 올려놓으면 탁자의 중앙은 회전할 수 있도록 되어 있다. 그래서 자기 앞으로 돌려놓은 다음 적당한 양을 덜어 먹는다. 물론 맨 마지막으로 나오는 것이 탕(국)과 과일(디저트)이다.

결혼피로연

(1) 요리

중국의 요리는 이미 세계에 널리 알려져, "프랑스가 패션으로 유명하다면 중국은 요리로 유명하다"는 말이 있을 정도로 중국은 예로부터 음식을 매우 중시했다. 음식을 만들 때도 다양한 재료와 조리법을 연구했고, 완성된 음식의 빛깔과 향기, 맛에도 각별히 주의를 기울였다. 이처럼 수천 년 동안 형성된 음식 풍속은 중화민족의 문화를 이루는 한 구성요소가 되었으며, 중국인의 윤리사상과 도덕관념, 생활방식 등의 민족적 특성을 잘 드러내고 있다.

사실 중국 음식을 만드는 재료는 상당히 많다. 그래서 어떤 사람은 "지구상에서 먹을 수 있는 것은 중국인들이 거의 다 먹는다"고 말할 정도이다. 물론 이 말이 과장된 표현이기는 하지만, 그렇다고 일리가 없는 것도 아니다. 땅에서 자라고, 지상에서 뛰며, 하늘에서 날고,

물속에서 헤엄치는 것 중 인체에 해롭지 않은 것이면 무엇이든지 음식을 만드는 재료가 되기 때문이다.

특히 중국은 땅이 광활하여 지역적으로 다양한 기후조건을 지니며, 그 기후에 따라 다양한 음식 재료가 존재한다. 바다나 강을 끼고 있는 곳에는 어류 등 해산물이 풍부하고, 산악지역에서는 들짐승이 많으며, 초원지역에서는 가축들을 쉽게 볼 수 있다. 강남을 중심으로 한 남방의 평원지역에서는 쌀이 주된 재료가 되고, 반면에 비가 적고 건조한 북방에서는 밀이나 옥수수 등 잡곡류가 음식의 주된 재료로 쓰인다.

음식의 재료는 대체로 곡물과 채소, 육류로 나누어진다. 그러나 음식 습관을 비교해보면 중국인들은 서양인들과는 달리 곡물을 주식으로 삼는다. 이는 중국이 고대로부터 농업을 중심으로 한 국가라는 데서 그 원인을 찾을 수 있다. 고대 봉건사회에서는 농업이 모든 산업 가운데 으뜸이라는 인식 아래, 곡물의 생산이야말로 인간의 생명을 유지해나가는 데 가장 필수적인 조건이었다. "수중에 양식이 있으면 마음이 느긋하다"는 옛말은 양식이 사람들의 일상생활 속에서 얼마나 중요한 위치를 차지하고 있는지를 알 수 있다.

곡물이 주식이라면, 육류나 어류 그리고 채소류는 부식이 된다. 부식 중에서는 채소가 주된 재료이며, 육류를 먹는 경우는 비교적 드물다. 이는 중국에서 목축업이 그다지 발달하지 못한 것과 관련이 있다. 중국에서는 일찍부터 목축이 시작되어, 상商나라와 주周나라 때 이미 말, 소, 양, 닭, 돼지, 개 등의 가축이 집에서 길러졌다. 그러나 그 수가 많지 않았고, 가축을 죽이는 데도 엄격한 제한을 두어 일반 사람들이 육류를 먹을 수 있는 기회는 극히 드물었다. 진秦·한대

漢代 이후에 농업이 중시되면서 가축의 수가 점차 줄어들었고, 그나마 식용보다는 사람의 노동력을 대체하는 수단으로 이용되었다.

이처럼 곡물을 주식으로 하고, 채소를 부식으로 하는 음식문화는 이렇게 수천 년을 이어져 내려왔다. 그러나 근대에 와서는 이러한 음식문화에 변화가 보이기 시작했다. 경제가 발전함에 따라 곡물보다는 육류의 소비가 증가하고 있기 때문이다.

한편 중국의 요리는 상상을 초월할 정도로 그 수가 다양할 뿐만 아니라 특성 또한 각양각색이다. 기후가 다르니 재료가 다를 수밖에 없고 결국에는 섭생까지 다르게 된 것이다.

중국 요리는 양자강을 기준으로 하여 북방 요리와 남방 요리로 구분되며 또한 일정한 지역을 기준으로 북방(북경·천진), 산동(청도·개봉), 강남(상해·남경·양주·영파·무한), 복건(복주·천주), 광동(광주·홍콩), 사천(성도·중경) 등 6대 권역으로 구분되기도 한다.

북방에서는 주로 소·돼지·양·말 등 육류에다 콩·고량·옥수수·밀가루를 주식으로 하고 있다. 그래서 한국인이 잘 알고 있는 만두나 짜장면, 국수 따위는 모두 북방 요리에 해당한다. 반면, 남방은 많은 강과 거기에 따라 발달한 비옥한 평야로 해서 예로부터 쌀과 생선이 풍부하다. 특히 호남성 동정호 일대는 중국 제일의 곡창지대를 형성하여 어미지향魚米之鄉이라는 별명을 낳게 했다. 생선과 쌀이 풍부한 곳이라는 뜻이다. 따라서 남방의 주식은 자연히 쌀이며 생선과 조개 등 해산물도 풍부하고 육류라고 해야 닭고기나 오리고기가 고작이다.

중국 요리의 특징으로는 ① 재료의 선택이 자유롭고 다양하기 때문에 지상에 있는 것은 거의 모든 것이 재료로 활용될 수 있다는 것이다. ② 색과 향을 매우 중시하고 있다는 점이다. 중국인들은 음식

의 3대 요소인 색·향·미의 조화를 중시하고 그중에서도 특히 색
과 향신료를 많이 사용함으로써 중국 요리의 독특한 맛을 내고 있다
는 것이다. ③ 조리 기구가 비교적 간단하고 사용하기 편리하다는
점이다. ④ 조리법과 그 과정이 다양하다는 점이다. ⑤ 기름을 많이
사용하지만 방법이 합리적이기 때문에 자주 먹어도 쉽게 물리지 않
는다는 점이다. ⑥ 음식의 수분과 기름기가 분리되는 것을 방지하기
위해 녹말을 많이 사용한다.

중국 요리의 특징 중 특히 조리법이 다양한 반면에 조리기구가 간
단한 까닭은 현실을 중시하는 실용성과 합리성에서 기인한 것이라
고 할 수 있다. 중국인의 식생활 역시 무조건 겉모양이 아름답고 맛
이 섬세한 것에 주목하기보다는 그 지방에서 생산되는 재료에 따라
조리법을 다양하게 개발하고, 가능한 칼로리뿐만 아니라 양에서도
실속 있는 요리를 선호한다. 이때 조리기구는 서양처럼 화려하거나
다양하지 않고 오직 조리에 불편하지 않을 정도면 된다.

(2) 차茶 문화

중국인은 하루도 차 없이는 못 사는 민족이다. 벌써 4천 년의 역사
를 가지며, 어느 공공장소에 가더라도 찻잎만 있으면 언제든지 차를
마실 수 있도록 끓는 물이 준비되어 있다. 중국인의 가정집을 방문하
면 제일 먼저 나오는 것이 차다. 그것도 차에 관한 일체를 세트로 마
련하고 있다. 나무로 만든 수레에 바퀴를 달아 움직일 수 있도록 만
들어놓고 차와 다기茶器는 물론 소형 프로판 가스통까지 완비되어 있
기도 하다. 차를 즐기는 까닭은 생활의 여유를 추구하기 위해서였다.
즉, 차를 마심으로써 개인의 수양은 물론 인생을 논했던 것이다.

① 차의 종류

중국의 차의 종류는 수천 가지가 넘는다. 그러다 보니 차에 대한 명칭도 다양하게 나오고 있다. 차의 이름은 차를 채취하는 시기나 방법·색깔·형태·지명 등에 따라 제각기 다르다. 이를테면 사전차는 경칩 전에, 우전차는 곡우 전에, 명전차는 청명 전에 채취하는 차를 말하며, 홍차紅茶[발효 정도가 대략 80~90%의 완전 발효차인 홍차는 찻잎과 찻물의 색이 모두 붉은빛이다. 기본적인 제조과정은 찻잎을 시들게 하여 비비고 발효시켜서 말린다. 찻물도 빨갛고 잎도 빨간 홍차의 특징은 발효를 거친 뒤에 만들어진다. 초창기에 나타난 중국 홍차는 복건성福建省 일대의 소종홍차小種紅茶로서, 이것이 발전하여 공부홍차 工夫紅茶가 생산되었다. 대표적인 홍차로는 기문홍차祁門紅茶, 소종홍차, 공부홍차 등이 있다]·녹차綠茶(찻잎을 따서 바로 가열하여, 발효시키지 않고 만든 차인데, 떫은맛과 쓴맛이 적고 향기와 맛이 상쾌하다. 찻잎을 가열하는 방법에는 찌는 방법과 볶는 방법이 있는데, 볶는 방법이 정통 중국식이다. 전국 18개 차 생산 지역에서 모두 녹차를 생산하고 있을 정도로 중국 차 생산량 가운데 가장 많은 비중을 차지하고 있다. 대표적인 녹차로는 서호용정西湖龍井, 벽라춘碧螺春, 황산모봉黃山毛峰, 천목청정天目靑頂, 은시옥로恩施玉露 등이 있다)·백차白茶(백차는 대략 10~20% 정도가 발효된 차로서 찻잎에 흰 털이 많고, 찻물은 아주 연하며, 맑은 향을 풍긴다. 제조방법은 인위적으로 볶지 않고 천연의 햇볕으로 건조시킨다. 백차는 일반적으로 갓 나온 잎에 하얀 솜털이 많은 품종을 골라서 사용하는데, 다 만들어진 완성품에는 하얀 잔털이 덮여 있어 아주 소박하고 단아하다. 또한 찻물이 맑고 담담하며, 그 맛도 깔끔하다. 백차는 주로 복건성과 대만

臺灣에서 생산되지만, 그 양이 많지 않아서 아주 귀하다. 백호은침白毫
銀針이 대표적인 백차이다)는 색깔로 구분한 이름이다. 차의 형태에
따라서 직설차와 말차로 구분되며, 이 외에 차의 맛은 토질과 기후의
영향을 받기 때문에 차의 이름에 지명을 딴 것이 많다.

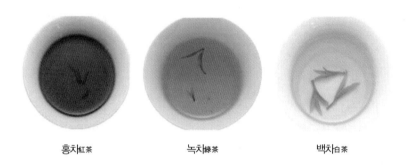

홍차紅茶   녹차綠茶   백차白茶

차의 종류는 크게 여섯 가지로 나누는데, 일반적으로 역사가 가장
길며, 생산량이 가장 많으며, 품종이 다양한 것이 녹차이다. 녹차 중
의 명차는 용정차龍井茶, 벽라춘차碧螺春茶, 우화차雨花茶 등 90여 종이
있다.

용정차는 중국 차 중에서 가장 으뜸으로 치는 차로, 청나라 때에
는 황실에서만 먹을 수 있었던 고급품이었다. 특산지는 향주에 있는
룽징이라는 차밭이다.

홍차는 기祁홍차, 기淇홍차, 영英홍차 등이 유명하다. 오룡차烏龍茶는
홍차처럼 향기가 진하고 녹차처럼 맛이 산뜻하다 하여, 녹차와 홍차
의 중간적인 차라고 한다. 또한 우룽차는 빛깔이 청갈색을 띤다고
하여 청차靑茶라고 한다. 종류에는 무이암영, 안계철판음, 봉황단총은
오룽차의 우등품으로 간주된다.

화차花茶   흑차黑茶   보이차普耳茶   육보차六堡茶

화차花茶(찻잎과 향기로운 꽃을 함께 보관하여 찻잎에 꽃향기가 스미게 하는 향차香茶이다. 주로 중국 북부지방에서 많이 애용되고 있다. 화차는 향과 분위기뿐만 아니라 약효가 많아서 건강에 좋고 기분을 편하게 해준다. 꽃의 향기가 풍부해서 냄새가 나는 요리에도 잘 어울린다. 대표적인 화차로는 재스민 향을 첨가한 모리화차茉莉花茶, 장미꽃의 향기를 가미한 장미차玫瑰花茶, 국화의 향기를 가미한 국화차菊花茶 등이 있다)는 중국의 독특한 차로서 향편차香片茶라고도 한다. 생화를 가지고 찻잎을 훈제한 것이 화차다. 복주의 다리공정茶莉空青은 화차 중의 상등품이다. 흑차黑茶는 찻잎을 건조시키기 전에 발효시킨 차이다. 찻잎의 색은 흑갈색이고, 찻물은 갈황색이 된다. 특이한 곰팡이 냄새가 있어 마시기에 거북한 점도 있지만, 익숙해지면 독특한 풍미와 감칠맛에 반한다. 흑차의 기본적인 제조과정은 찻잎을 쪄서 비빈 뒤, 두텁게 쌓아놓고 말리는 것이다. 흑차는 일반적으로 원료가 크고 딱딱해서 제조과정에 자주 쌓아놓기 때문에 발효시간이 비교적 길어진다. 그래서 색깔이 까맣거나 흑갈색으로 변한다. 흑차는 주로 변경지역의 소수민족들이 자주 마신다. 우려낸 찻잎을 냄비에 넣어 물을 붓고 생강과 파뿌리, 대추 등을 넣어 끓여 마시면 감기에 아주 효과적이다. 보이차普耳茶(운남성에

서 생산되는 후발효차로 알칼리도가 높고 속을 편하게 해주며 숙
취제거와 소화를 도와주는 작용이 있다. 특히 체내의 기름기 제거
효과가 높아 체중을 조절하려는 사람들이 즐겨 마신다), 육보차六堡
茶 등이 명품이다.

② 차 예절

중국의 차 문화는 식사 시, 회의 시, 생활 깊숙이 파고들어 한국인
들이 물 마시는 것과 동일하다. 그러므로 그들에게 차를 마시는 것
은 하나의 풍속이자, 세상을 살아가는 이치를 배우는 것이다.

다관茶館

중국의 전통적인 습속으로는 친구나 친척 등 각별한 관계가 있는 사람이 아니면 좀처럼 집을 방문하지 않는다. 그러므로 낯선 사람 간의 대화나 사업을 위한 장소로는 차를 마시는 다관茶館이 제일 자주 이용된다. 이 점은 실질을 중시하는 사람들의 국민성과도 관계가 있다. 즉, 차 한 잔 마시면서 간단한 식사를 하므로 비용이 저렴하다.

(3) 주류酒類

중국에는 지방마다 한두 개 정도의 특산주가 있을 정도로 술의 종류가 매우 많을 뿐 아니라 알코올 도수가 보통 40~60도로 매우 독한 것이 유명하다.

중국은 전통적으로 술에 관한 고사도 많이 있으며, 술을 노래한 시인들도 많은 편이다. 이태백李太白 같은 주선酒仙은 술을 먹다가 삶을 마감했고, 한국인들에게도 익히 알려진 전원시인 도연명陶淵明은 헌주사獻酒詞 25편을 남겼다. 그들은 술을 인생의 좋은 반려이며 삶의 질을 높여주는 좋은 짝으로 보았다.

중국의 술은 크게 다섯 가지로 나눌 수 있는데, 증류수인 백주白酒, 양조주인 황주黃酒, 한방약을 이용한 약주藥酒, 과일 등을 이용한 과실주, 그리고 맥주 등이 있다. 각 술의 특징과 종류를 소개하면 다음과 같다.

① 백주白酒

백주는 곡류를 원료로 해서 당화발효를 거쳐 증류하는 방법으로 만들어진다. 알코올 도수는 일반적으로 40도 이상이다. 중국 8대 명주로 꼽히는 마오타이주茅台酒, 오량액五粮液, 분주汾酒, 노주노교瀘州老

窖, 고정공주古井貢酒, 양하대곡洋河大曲, 검남춘劍南春, 동주董酒 등이 대부분 백주에 해당한다.

● 마오타이주茅台酒

국주國酒로 불리는 마오타이주는 귀주성貴州省 모태진茅台津에서 생산되며, 전체 양조과정은 5, 6년 정도로 오랜 시간이 걸린다. 수수(고량高粱)를 원료로 하여 순수 보리누룩을 발효시켜 8, 9번 정도 세정하여 증류한 뒤, 술독을 완전하게 밀봉하여 최저 3년 이상 숙성시켜 제조한다. 알코올 도수는 53~55도이고, 무색투명하며, 중국의 8대 명주 가운데서도 가장 뛰어난 술로 알려져 있다. 다른 술과 비교해보

마오타이주茅台酒

아도 독특한 풍미를 지녔고, 각종 육류 요리와 잘 어울리며 숙취도 없는 고급술이다. 중국인들은 마오타이주를 중국을 대표하는 술이자, 중국인의 혼을 승화시켜 빚어낸 술이라고 자부한다. 마오쩌둥毛澤東이 중국 혁명을 승리로 이끈 뒤부터 정부의 공식 만찬에 빠짐없이 나오는 술이다.

● 오량액五粮液

명대 초부터 생산되기 시작한 오량액은 고량, 쌀, 밀, 옥수수, 찹쌀의 다섯 가지 곡물을 원료로 해서 양조한 백주로서 사천성四川省 의 빈시宜濱市에서 생산된다. 양조용수는 민강岷江의 물을 이용하며, 순수한 밀로 만든 누룩을 발효제로 사용한다. 오량액은 빛깔이 맑고 깨끗하며, 병을 개봉할 때 독특한 향기가 바깥으로 새어나와 코를 찌

오량액五粮液

른다. 진한 향과 달콤한 맛의 비결은 곡식의 혼합 비율과 거기에 첨가되는 소량의 약재에 숨어 있다. 이것은 수백 년 동안 이 술을 처음 만든 진씨陳氏 가문의 비방으로 내려왔다. 1949년 현재의 정부가 들어선 뒤부터 열리기 시작한 주류품평회에서도 오량액은 마오타이주와 함께 중국을 대표하는 명주로 꼽힌다.

● 검남춘劍南春

검남춘은 사천성 면죽현綿竹縣에서 생산된다. 당나라 때는 술을 '춘春'
이라고 불렀는데, 면죽이 검남劍南으로 가는 길에 위치한 현이었으므로
이 술을 '검남춘'이라 부르게 되었다. 당시 대시인 이백이 일찍이 면죽
에서 이 술을 마시기 위해 자신이 입고 있던 담비 가죽옷을 팔았다는
일화가 남아 있다. 알코올 도수는 62도와 52도 두 가지가 있다.

검남춘劍南春

② 황주黃酒

황주는 일반적으로 15~20도 사이의 저알코올 술로서, 빛깔이 황
색이며 윤기가 있다고 해서 붙여진 이름이다. 황주는 곡물을 원료로
해서 주약酒藥(약초와 그 즙을 넣어 배합을 하고 곰팡이를 피운 누룩)
을 첨가하여 당화발효, 숙성의 과정을 거쳐 마지막에 압축해서 만들
어진다. 황주의 종류로는 절강성浙江省의 소흥주紹興酒와 심항주沈缸酒,
산동성의 즉묵로주卽墨老酒 등이 있다.

● 소흥주紹興酒

소흥주는 중국의 황주 중에 가장 오래된 역사를 지닌 명주로서, 절강성 소흥현紹興縣의 지명을 따라서 명명된 8대 명주 가운데 하나이다. 알코올 도수는 14~16도이며, 빛깔은 황색 또는 암홍색을 띤다. 4,000년 정도의 역사를 갖고 있으며 오래 숙성하면 향기가 더욱 좋아 상품가치가 높다.

주원료인 찹쌀에 특수한 누룩을 사용하여 만드는 방법이 일반적이며, 누룩 외에 신맛이 나는 재료나 감초를 사용하는 경우도 있다. 제조방법은 찹쌀에 누룩을 넣고 발효시켜 감호鑒湖의 물을 사용해 만들지만, 지역에 따라 독특한 비법이 내포되어 있다.

소흥주는 약간 쓴맛이 나는 소흥가반주紹興加飯酒와 소흥원홍주紹興元紅酒, 단맛이 나는 소흥향설주紹興香雪酒와 소흥선양주紹興善釀酒가 있다.

소흥주紹興酒

③ 약주藥酒

한방 차원의 약재를 백주와 황주, 과실주 등에 담그거나 첨가하여 침전법으로 만들어 약용藥用으로 마시는 술이다. 대표적인 약주로는 오가피주五加皮酒, 죽엽청주竹葉青酒, 보주補酒, 녹용주鹿茸酒 등이 유명하다.

● 죽엽청주竹葉青酒

죽엽청주는 1,400년 전부터 유명한 양조산지로 알려진 산서성山西省 행화촌杏花村의 약주이다. 고량을 주원료로 녹두와 대나무 잎 등 10여 가지 천연 약재를 사용하여 만든 술로서 연한 노란 빛깔을 띠며, 대나무 특유의 향을 느낄 수 있다 48~50도의 최고급 스태미너주로 널리 알려져 있다. 이 술은 오래된 것일수록 향기롭다. 처음 술을 입에 댈 때는 탁 쏘는 맛이 강하지만, 두 번째 다시 입에 대면 달콤한 맛이 입안 가득 퍼진다. 중국이 공산화되면서 많은 양조기술자들이 대만臺灣으로 넘어가 중국산보다는 대만산이 더 유명하다.

죽엽청주竹葉青酒   보주補酒   녹용주鹿茸酒

④ 과실주果實酒

　　과일을 직접 발효시켜 압착 양조해서 만드는 저알코올 술로서 알코올 함유량은 일반적으로 20도 이하이다. 연대烟臺의 포도주가 유명한데, 연대는 포도주로 이름난 도시이다. 지부芝罘는 연대에서 북쪽으로 9km쯤 되는 곳에 있는 작은 섬이지만, 지부라고 하면 프랑스의 보르도[원어로 Bordeaux. 프랑스 남서부, 대서양과 면해 있는 보르도(Bordeaux)지역에서는 113,000헥타르에서 660만 헥토리터의 와인을 생산하고 있다. 프랑스 AOC(Appellation d'Origine Contrôlée: 원산지통제명칭) 와인 생산의 1/4을 차지하고 있는 주요 와인 생산 지역이다. 날씨는 대체적으로 온화한 기후이며 여름에 덥고 겨울은 혹한은 드물다. 포도재배 과정에서는 봄에 싹이 날 때의 서리와 꽃 피기 시작할 때의 차가운 비만 조심하면 순탄하게 재배할 수 있다. 또한 Gulf Stream의 영향으로 기온이 상승되며 소나무 숲이 많아 대서양의 바닷바람을 막아주고 있어 포도재배에 도움이 된다]나 포르투갈의 오포르토(도우루 강 하구에 있는 포르토Porto 항구에서 와인 통을 선적하기 전에 통마다 브랜디를 첨가하였다. 오늘날 이런 주정강화 와인을 포트라고 부르는 것은, 바로 포르토 항구의 지명에서 유래되었다)처럼 연대 포도주의 대명사로 알려져 있다. 1892년에 연대에서 창업한 장유집단유한공사張裕集團有限公司에서 만드는 적포도주와 미미사味美思(벨모트)가 명주로 손꼽힌다. 연대 적포도주는 단맛이 나는 장미향 포도주로서 장유집단유한공사의 전통적 브랜드 상품이다. 연대 미미사는 단맛이 나는 포도주에 향을 첨가한 술이다. 2년 이상 저장한 백포도주에 출하하기 6개월 전부터 중국 특산의 귀중한 생약을 넣고 냉동으로 저장한다.

미미사味美思

⑤ 맥주麥酒

중국에서는 음식점에서 식사할 때 맥주를 반주로 하는 사람들을 흔히 볼 수 있는데, 사실 맥주 한 병 값이 광천수보다 싸다. 따라서 최근에 중국에서는 맥주 소비량이 아주 빠르게 증가하고 있는 추세이다. 오성五星맥주, 연경燕京맥주 등 다양한 종류가 있으나 청도青島가 물맛이 좋아서 청도맥주가 가장 유명하다. 요즘은 일반형 맥주를 고급화한 순생純生, 설화雪花 등의 맥주도 인기를 끌고 있다.

오성五星맥주   연경燕京맥주   청도青島맥주

순생純生 맥주   설화雪花 맥주

⑥ 음주 습관

중국에는 예로부터 "술이 없으면 자리가 마련되지 않고, 술이 없으면 예의가 아니다(無酒不成席, 無酒不成禮)"라는 말이 있듯이 연회와 잔치 같은 축하의 자리에서 절대로 술이 빠져서는 안 된다. 그래서 잔치를 주연酒宴이라고도 부르며 본래 결혼식 축하주의 의미를 가지고 있는 희주喜酒는 그 뜻이 확대되어 결혼식 축하연을 말하는 대명사가 되었다. 이러한 이유로 중국인들이 희주를 마시러 간다고 말하는 것은 곧 결혼식에 참석하러 간다는 의미이다. 중국인들의 음주 습관은 술자리에 내빈이 모두 자리에 앉으면 주인은 일어서서 손님을 향해 '제가 먼저 마시는 것으로 경의를 표시합니다'라는 의미의 선건위경先乾爲敬을 말하며 자신의 술잔을 비우는 것으로 예의를 나타낸다. 상대에게 술을 권할 때는 '한 잔 올리겠습니다'라는 의미의 경일배敬一杯를 말하는데, 이때 응하지 않으면 실례가 된다. 또한 우리의 음주 문화와는 달리 술잔을 다른 사람에게 돌리지 않으며 상대의 술잔이 조금이라도 비어 있으면 계속해서 첨잔을 하는 것이 예의이다. 상대방이 술을 따르면 받는 사람은 식지食指와 중지中指를 구부려 탁자를 가볍게 두드리는 것으로 감사의 표시를 한다. 이러한 습관은 청대靑代부터 시작된 것으로 알려져 있는데 다음과 같은 고사가 전해진다.

어느 날 건륭乾隆 황제가 측근 몇 명만을 거느린 채 민간인 복장을 하고 차의 고향으로 유명한 강서江西, 절강浙江 일대로 순행 갔을 때 어느 찻집에 들러 용정차龍井茶를 맛보게 되었다. 뛰어난 차의 맛에 만족한 건륭제는 신하에게도 차를 권했는데 황제의 하사를 받은 신하는 바로 머리를 조아려 예를 갖출 수 없자 손가락을 구부려 탁자를 세 번 두드리는 것으로 은총에 대한 감사를 표시했다고 한다. 이러한 관습은 지금까지 전래되어 술잔을 받을 때도 이와 같이 행동한다.

중국인들은 건배乾杯를 외치면 술을 단번에 다 마시고 빈 술잔을 상대에게 보이는 것이 관례이다. 건배를 할 수 없으면 반배半杯라고 말하고 절반만 마시거나 '자기 마음대로'라는 의미의 수의隨意를 말하고 자기 주량대로 마신다. 만약 술을 전혀 마시지 못하면 먼저 양해를 구하거나 경우에 따라서 '차로 술을 대신한다'라는 이차내주以茶代酒의 의미로 대신 찻잔을 들기도 한다.

커다란 원형 식탁에서 술을 마셔 상대방과 직접 건배를 하기 힘들 때는 술잔을 식탁 위 회전판에 두드리는 것으로 대신한다. 또한 술자리에 늦거나 게임 등에서 지면 재미로 상대에게 몇 잔의 벌주罰酒를 권한다. 일반적으로 주인은 손님이 술을 많이 마실수록 기뻐하는데 특히 소수민족의 하나인 몽고족蒙古族은 접대를 좋아하여 술을 권할 때 주인이 술잔을 들고 노래를 부르며 손님이 받아서 다 마실 때까지 멈추지 않는다.

그러나 중국인은 술에 취해 실수하는 것을 몹시 싫어한다. 그래서 중국에서는 술에 취해 비틀거리는 사람을 구경하기 힘들다. 중국의 술 중에는 특히 독한 술이 많기 때문에 한국의 소주 마시듯이 마시면 술에 취하기 쉽다. 실제로 술은 중국인들에게 목적이 아니다. 말을 끌어내고 말을 열게 하며, 생의 애환을 흥겨움 속에 삭이고자 하는 도구이다.

중국인들은 오랜 기간 동안 다양한 종류의 술을 발전시켜 왔으며 이에 비례하여 그들만의 특색 있는 음주문화를 발전시켜 왔다. 앞으로 우리는 중국인들과 거래를 할 일이 많고 중국에 나가서 사업을 할 수도 있고 또한 중국인들과 친구가 될 수 있다. 그렇기에 우리는 중국인들의 음주습관 및 예절을 먼저 익혀 동방예의지국東方禮義之國이라는 한국의 모습에 어울리게 먼저 상대방에게 예를 다하는 모습을 보여 한국인의 이미지를 좋은 쪽으로 쌓고 나아가 우리의 일에 보탬이 되는 방향으로 나아가야 할 것이다.

주생활

중국은 긴 역사만큼이나 건축물에 있어서도 독특한 양식을 유지해왔다. 중국 건축물의 가장 큰 특징은 다른 나라의 건축이 종교건축을 중심으로 발달해온 반면에, 중국 건축은 궁전건축을 중심과제로 발달해왔다.

북경의 자금성으로 대표되는 궁전건축은 규모가 클 뿐만 아니라, 개개의 건축형식에서나 전체의 배치상태에서나 매우 웅장하고 화려하며 가장 완벽하다. 각종 건축을 비롯한 그 밖의 건축물은 대부분

궁전건축을 모방·생략·축소한 것들이다.

유명한 만리장성이나 도시와 촌락을 둘러싼 성벽들은 흙이나 벽이나 석재를 주요 건축자재로 이용했다. 그러나 이런 이질적인 재료로 지은 건축물도 대부분 목조 건축양식을 답습하고 있기 때문에 중국 건축은 목조 본위라고 할 수 있다.

또한 중국 건축은 평면 구성에 있어 매우 단순한 편인데, 대부분 직사각형이나 정사각형이고, 그 밖의 복잡한 형태를 갖는 경우는 드물다. 그리고 기둥을 바둑판처럼 질서정연하게 세운다. 기둥의 간격은 정면과 측면을 통일하는 것이 구조상으로도 편리하지만, 실제로는 반드시 그렇게 되어 있지는 않다.

현재 대도시에 사는 중국인들은 대부분 침대에서 생활하며, 신분과 지역에 따라 규모와 모양이 다르나 거의 아파트 건물 위주이다. 이전에는 직장에서 근무경력, 직위, 근무성적 등에 따라 무료로 배분되므로 주택확보 및 유지에 많은 돈이 들지 않았다.

그러나 1991년 이후 주택분배제도가 사라지고 스스로 집을 구입하여야 하는 실정이다. 도시에서는 많은 주택건설에도 불구하고 주택가격이 대폭 상승하여 결혼을 앞둔 청년들이 방이 없어서 결혼을 못 하기도 한다. 또한 도시의 아파트식 중국집은 평수에 비해 많은 방을 만들어 입구에 들어서자마자 답답한 느낌을 받게 된다. 그리고 중국의 주택은 자기의 지위나 근무경력이 많아지면 더 넓은 집을 분배받을 수 있기 때문에 현재 거주하고 있는 집을 깨끗하게 보수, 유지하지 않았다.

1990년대 중반 이후에는 경제개방으로 인해 생활소득과 문화수준이 급격히 향상되면서, 대부분의 중국인도 집에 많은 관심을 쓰는 경향이다. 그래서 돈을 벌면, 증권과 함께 부동산에 투자하는 사람들이 늘고 있다.

최근에는 건축과 인테리어 산업이 활성화되어 현대화된 서구식 아파트들이 많이 등장하고 있으며, 소위 고소득층들이 선호하는 빌라형 대형주택들도 꾸준히 증가하고 있다.

다음은 중국의 주거용 민가의 6가지 형태에 대해 소개하고자 한다. 주거용 건축 가운데 가장 보편적인 것이 바로 민간 가옥民家이다. 특히 넓은 영토와 다양한 기후 속에 서로 다른 생활방식으로 살아가는 중국의 민가는 지역과 민족에 따라 주거의 형태와 건축양식이 다를 수밖에 없다.

이 때문에 중국 민간주택의 대표성과 지역성 및 특수성을 지닌 민간가옥民間家屋을 살펴볼 필요가 있다.

(1) 북경 사합원四合院

사합원이란 북경을 비롯한 산동과 산서·섬서성 등에서 흔히 볼 수 있는 전통적인 민간가옥으로 가운데 정원을 두고 동서남북을 여러 채의 가옥이 둘러싼 구조이며 배치는 엄격한 대칭을 이루고 있다. 중심건물은 정원 북쪽의 정방正房으로 다른 건물에 비해 규모가 크고 높게 기반을 쌓았으며 동서 양쪽은 다른 가족이 거주하는 상방廂房과 회랑回廊으로 연결되어 있다. 정방의 맞은편은 하인들이 거주하는 도좌방倒座房이며, 뒤편은 후원과 여자 하인의 거처인 후조방後罩房이다. 아울러 부유한 사람의 저택일 경우 두 개 이상의 정원을 병렬로 연결한 비교적 복잡한 형태의 사합원도 있으며 사합원의 주위는 모두 높은 담장을 쌓았고 길 쪽의 방은 바깥쪽 창문이 없어 매우 조용하고 폐쇄적인 특징을 가지고 있다. 사합원의 이러한 구조는 주종관계와 전통 유가의 엄격한 가족제도를 구현하는 이상적인 배치형 태이기 때문으로 중국 주택양식의 전형적인 모습이라 할 것이다.

북경 사합원四合院

(2) 휘주徽州 고대 민가

중국 '고대 민가 건축예술의 보고寶庫'라고 불리는 안휘성 남부의 수많은 고 민가들은 강남의 대표적인 주거형식으로 단층 구조의 사합 원과는 달리 대부분 벽돌과 나무를 사용하여 지은 세 칸이나 다섯 칸 의 작은 2층 건물이다. 이것은 산지가 많고 협소한 지형 탓도 있지만 강수량이 많아 습기나 홍수 및 해충의 피해를 최소화하기 위한 방편 에서 비롯된 것이다. 이들 민가 역시 사방을 벽으로 막아 대문을 통해 서만 외부로 통할 수 있는 매우 폐쇄적인 구조를 형성함으로써 방범 효과와 더불어 차가운 바람을 막고 내부의 열이 나가는 것을 효과적 으로 차단하는데 가족 중심의 중국적 소우주관이 작용하였기 때문이 다. 이 휘주의 주택은 대부분 정원엔 연못이 있고 집 주위에는 화초와 분재를 심었으며 현관과 천장에 정교한 도안들을 새기는 등 매 가구마 다 자신들만의 독특한 예술세계를 창조하여 세인의 주목을 받고 있다.

휘주徽州 고대 민가

휘주徽州 고대 민가

(3) 산서山西 동굴집窟洞

요동窟洞이라 부르는 동굴집은 황하 중상류 산서성 일대의 황토고
원에서 생활하는 사람들이 깊고 두터운 황토층을 이용해 만든 독특
한 주거형태이다. 산언덕을 굴착하거나 돌과 벽돌로 아치형을 만든
후 두터운 황토로 위를 덮은 형태 및 평지를 넓게 파 정원으로 삼고
다시 옆으로 다시 굴을 판 형태 등 다양한 종류가 있다. 이것은 나무
와 돌을 구하기 어려운 지역적 특징과 무덥고 추운 기후와 깊은 관
계가 있는데 건축비가 적게 들고 겨울에는 따뜻하고 여름에는 시원
하여 보온과 방음효과가 뛰어난 장점을 가지고 있기 때문이다. 아울
러 통풍과 조명에 취약한 단점을 보완하기 위해 굴의 안쪽에 지표면
과 연결되는 통풍구를 파기도 한다.

산서山西 동굴집窟洞

(4) 객가客家 토루土樓

토루는 광동·복건 등지의 객가족客家族 주택으로 하나의 토루 안
에 100~200개의 방이 있어 수백 명이 함께 거주하도록 설계되어
있다. 이들 객가족은 원래, 약 2천 년 전 남방으로 이주한 한족들로
적의 침략으로부터 자신들을 방어하기 위해 공동 주택을 짓고 외부

를 두세 겹 둘러쌓았는데 바깥쪽 높이가 10여 미터나 되어 마치 하나의 성채를 연상케 한다. 토루 안은 마치 작은 도시처럼 우물이나 목욕탕, 화장실 등이 구비되어 있으며 1층은 주방과 식당이고 2층은 창고, 3~4층은 침실을 배치하였으며, 중앙은 조상의 사당과 공동 공간으로 구성되었다. 토루의 형태는 원형과 장방형인데 특히 원형 토루는 형태가 특이하여 세계건축전문가들의 주목과 칭송을 받고 있다.

객가客家 토루土樓

(5) 강남 수향水鄕주택

강남은 장강의 남쪽 하류지역이란 의미로 지역이 평탄하고 지류가 많아 육로보다 수로가 교통의 중심역할을 함으로써 하천을 따라 가옥이 건설되었는데 이런 물가에 연접해 지은 주택을 임수臨水주택이라 한다. 이들 가옥은 물 사용과 주요 교통수단인 배의 운행을 편리하게 하기 위해 집의 일부를 수로와 연결하고 가옥 사이에 좁은 통로를 만들어 정원을 통하지 않고 전면과 후면으로 출입을 할 수 있게 하였으며 습기가 많은 점을 고려해 2층집 구조로 이루어졌다. 대표적인 수향주택으로는 상해와 소주 중간지역의 주장周莊이 있다.

강남 수향水鄕주택

(6) 운남 간란식干欄式 주택

중국의 남방지역인 운남성雲南省 일대는 베트남이나 라오스 등과 연접한 무덥고 습한 기후로 인해 바닥을 지상에서 띄운 형태의 가옥이 생겨났다. 간란식 주택은 운남성 시슈앙반나 부근 태족傣族들의 대표적인 가옥으로 열대 우림에 가까운 주위 환경과 나무를 이용해 이층으로 된 골조를 형성하고 대나무 등을 엮어 바닥과 벽을 만든 것으로 통풍이 용이하고 습기를 피하며 해충과 맹수의 침범을 막기 위한 가옥형태이다. 아울러 이층 중간에 모닥불 구덩이를 만들어 일년 내내 불씨가 꺼지지 않게 보호하는 습관이 있는데 이것은 조상과 자손의 연계를 의미하며 가옥의 아래층은 창고나 축사로 활용함으로써 생활에 불편함이 없도록 한 구조이다.

운남 간란식干欄式 주택

7장

중국의 명절과 풍속

유구한 역사와 문화전통을 자랑하는 중국은 한족과 55개의 소수 민족이 모여 사는 다민족 국가다. 물론 여러 소수 민족도 자신들만의 풍속과 명절을 잘 계승하고 있지만, 한족의 민속문화와 풍습이 중국 전체의 명절을 대표한다고 해도 과언이 아니다.

한족의 명절은 자연, 신령, 생식을 숭배하던 원시종교에서 유래했으며, 일찍이 발달한 농업과도 밀접한 관련을 맺고 있다. 1년을 24절기로 나누어 봄철과 여름철 사이에 한식과 청명절, 단오절을 지내며, 가을에는 중추절로 수확에 대한 기쁨과 감사를 표시하고, 겨울에는 납팔절, 동지, 춘절 등으로 1년을 마감하는 일이 반복되면서 전통적인 색채를 띤 명절이 형성되었다.

명절의 또 다른 유래는 기념의식에서 찾을 수 있다. 개자추介子推, 굴원屈原 등 영웅적 인물이나 중요한 사건 등을 기념하기 위한 경축 활동을 통해 차츰 군중들의 단결력이 강해지면서 명절이 생겨나게 되었다.

중국의 명절

(1) 춘절春節

음력설을 의미하는 춘절은 음력 1월 1일로서, 겨울이 지나가고 봄이 다가온다는 것을 의미한다. 신춘新春이 다시 돌아오면 만물이 모두 새로워지고 새로운 파종과 수확의 계절이 시작된다. 그래서 사람들은 천지신명과 조상에게 제사를 지내며 오곡이 풍성하고 만사가 뜻대로 되기를 기원한다.

춘절은 봄 '춘春', 절기 '절節'이라는 글자에서 알 수 있듯이 겨울과 봄이 교체하는 계절이라는 뜻이다. 고대에는 '새해가 시작되는 첫날 새벽'이란 뜻에서 '원단元旦'이라고도 했으며, 한 해를 마감하고 새로 시작한다는 의미에서 '과년過年'이라고도 했다. 1911년 신해혁명 이후 중화민국 정부가 건립되면서 세계적으로 통용되던 양력을 채택했고, 양력 1월 1일을 '신년新年' 또는 '원단元旦'으로 명칭하고 전통 명절인 음력 1월 1일은 '춘절'로 구분하여 부르기 시작했다. 현재 중국이나 대만 모두 이 두 용어를 사용하고 있다.

사실 중국인들의 춘절이 음력 정월 초하루만을 의미하는 것은 아니다. 설을 맞이할 준비를 하는 23일, 부엌신에게 제사를 지내는 일(부엌의 신인 조왕에게 제사를 지낸 후 엿이나 사탕을 신위神位 밑에 놓아두었다. 부엌신이 이 엿을 먹고 하늘에 올라가서 옥황상제에게 보고할 때 좋은 말만 해달라는 의미이다)부터 시작된다고 볼 수 있다. 공식적으로는 사흘이 법정 공휴일로 정해져 있지만 도시 노동자들은 일주일 정도 쉬며, 농촌에서는 심지어 음력 대보름까지 15일가량 명절 기분을 내며 즐긴다.

춘절에 행해지는 풍습으로는 조왕야竈王爺(처음에는 음식과 불에 관한 일만을 관장하는 신이었다. 후에 대중들에게는 먹는 문제가 중요하였으므로 음식을 관장하는 조왕신의 권위가 점차 확대되어 인사와 사람들의 언행까지도 관장하는 신이 되었다), 연화年畫, 춘련春聯(붉은색 종이에 복이 되는 글을 적어 대문 양옆에 붙여 사악한 기운을 물리치는 춘절풍습이다), 제석除夕, 수세守勢, 압세전壓歲錢, 홍포紅包, 폭죽爆竹, 배년拜年 등이 있고, 교자餃子, 연고年糕 등을 먹는다.

'춘련'은 춘절 무렵이 되면 종이에 대구對句가 되는 길한 내용의 글을 써서 대문 양쪽에 붙이는 풍습을 말한다. 사악한 기운을 물리치는 색으로 여겨지는 붉은색 종이 위에 집안의 평안과 새해에는 돈을 많이 벌게 해달라는 내용들을 써 붙였다. 또한 대문이나 창문에 '복福' 자를 거꾸로 붙이는 풍습도 있다. '거꾸로(倒)'라는 의미의 중국어가 'dào'로 발음되고, '복이 오다'의 '오다(到)'도 'dào'로 발음되므로, '복福'을 거꾸로 붙여 '복이 왔다(福到了)'라는 의미가 되는 것이다.

춘절 하루 전날 저녁을 '제석'이라고 하는데, 이날 타지에 나가 있던 가족들이 집에 돌아와 온 가족이 한자리에 모여 풍성한 음식인 '연야반年夜飯'을 먹는다. 밤 12시에 폭죽을 터뜨리는 풍습은 '폭죽'의 발음이 '복을 알린다(報祝)'는 의미를 가지고 있어 행했다는 설과 '연年'이라는 귀신을 쫓기 위해 행했다는 설이 있다. 한때 도시에서는 화재의 위험과 극심한 소음으로 폭죽놀이를 금하기도 했으나 지금은 부분적으로 허용하고 있다.

춘절에 인사드리는 풍속은 '배년拜年'이라고 한다. 아이들이 세배를 하고 나면 어른들은 아이들에게 빨간 종이에 싸인 돈을 주는데 이러한 세뱃돈을 '압세전'이라고 한다.

명절 음식인 '교자餃子'는 '자시에 해가 바뀐다(更歲交子)'의 '교자交子'와 발음이 같아 송구영신送舊迎新의 의미로 즐겨 먹는 음식이다. '연고'는 '연고年高'와 발음이 같아서 '새해에는 더 발전하고 좋아지기를(年年升高)' 바라는 마음에서 먹는다.

교자餃子

연고年糕

폭죽爆竹

연화年畫   문신門神

춘련春聯

(2) 원소절元宵節

우리나라 정월 대보름에 해당하는 원소절은 음력 정월 15일이며, 등절燈節 또는 등석燈夕이라고도 한다. 이날은 춘절 뒤에 오는 첫 번째 보름날 밤이다.

음력 정월 보름은 1년 중 가장 먼저 보름달이 뜨는 날로 처음 '원元'과 밤 '소宵'를 써서 '원소절'이라고 한다. 또한 한나라 무제 때 음력 정월 보름이 되면 궁중에 등불을 켜고 천제에게 제사를 지내며 밤을 지새웠던 풍습이 있었다 하여 '등절燈節'이라고도 한다. 당대에는 등놀이 행사가 더욱 성행하여, 높이가 60m에 이르는 등나무에 5만여 개의 등을 달았다고 한다.

등절의 '등燈'이 성년 남자를 의미하는 '정丁'과 발음이 비슷하여 중국 방방곡곡에서 아들을 낳게 해달라고 기원하는 풍습이 행해졌다. 또 등에 수수께끼 문답을 써넣는 놀이나 폭죽을 터뜨려 귀신을 쫓는 놀이도 있었다.

원소절에는 쌀가루로 만든 반죽에 설탕소나 고기소를 넣어 둥글게 만든 음식인 '탕원湯圓'을 먹었다. 탕원을 먹는 풍습은 송宋나라 때부터 시작되었다고 한다. 또한 탕원은 '온 가족이 모인다'는 의미인 '단원團圓'과 발음이 비슷하여 많은 중국인들이 즐겨 먹으며, 이날이 지나면 중국의 춘절 분위기는 차츰 가라앉는다.

탕원湯圓

원소절 등놀이

(3) 한식寒食과 청명절清明節

청명절은 양력 4월 5일 전후이다. 청명절은 두 가지 뜻을 지니고 있는데 하나는 절기로서의 의미이고, 다른 하나는 명절로서의 의미이다. 일 년 24절기 중 청명절만이 절기에서 명절로 변화되었다. 보통 청명절 이틀 전을 한식절이라고 부른다. 한식은 동지 후 105일째 되는 날이며, 한식절에는 3일간 불을 쓰지 않았는데, 청명절과 함께 붙어 있어 나중에 하나의 명절로 바뀌었다. 이 두 명절은 춘추시대 진晉나라 문공文公인 중이重耳가 개자추를 애도한 데서 비롯되었다.

기원전 655년 진晉나라 문공 중이가 왕위에 오르기 전 계모의 음모를 피하기 위해 개자추 등의 신하들과 함께 타관을 떠돌며 많은 고생을 했다. 숨어 지내며 끼니도 제대로 잇지 못하던 어느 날, 중이가 굶주려 땅에 쓰러지자 개자추는 몰래 자신의 허벅지 살을 베어 삶아 먹임으로써 충성을 다했다. 19년 뒤 진나라로 돌아와 왕위에 오른 중이는 당시 함께 고생했던 공신들에게 상을 주었지만 개자추의 공은 잊어버리고 상을 내리지 않았다. 개자추는 공을 다투기 싫어 어머니와 함께 면산綿山으로 들어가 은거생활을 했다. 진나라 문공이 이 사실을 알고 친히 면산으로 가서 그를 찾아보았지만 찾을 수 없었다. 문공은 산에 불을 지르면 효자인 개자추가 어머니를 위해서라도 산에서 내려올 것이라고 생각하고 불을 질렀다. 그러나 개자추 모자는 문공의 예상과는 달리 큰 버드나무를 꼭 끌어안은 채 불에 타 죽고 말았다. 옷깃에 청명清明한 정치를 바라는 간곡한 부탁을 적은 혈서만이 버드나무 구멍 속에 남아 있을 뿐이었다. 문공은 개자추를 추모하기 위해 산에 불을 지른 그날을 한식일로 정하고, 이날만큼은 불을 지피지 말고 찬밥을 먹도록 했으며 이틀 뒤를 청명절로 정했다. 당唐, 송대 이후부터 사람들은 한식에서 청명절 사이에 성묘를 하고 조상에 대한 애도를 표시했다.

또한 청명절이 가까워지면 날씨가 따뜻해지고 초목이 살아나 성묘를 마친 사람들이 들놀이를 가거나 연을 날리면서 봄빛을 즐기기도 하는데, 이를 '답청踏靑'이라고 한다.

(4) 단오절端午節

음력 5월 5일을 '단오절', 혹은 '오월절五月節'이라고 부른다. 고대에는 '午(wǔ)'와 '五(wǔ)'의 발음이 비슷하여 '단오端午'를 '단오端五'라고도 했다. '단端'은 '초오初五'를 말하므로, '단오'는 초닷새라는 뜻이다.

단오절은 원래 중국 민족이 전설상의 조상으로 여겨 왔던 용에게 제사를 지내는 '용자절龍子節'이었다. 후대 사람들은 이날을 전국시대의 애국 시인인 굴원屈原(B.C. 343경~B.C. 289경: 중국 전국시대의 정치가이며 애국시인이다. 굴원은 억울하게 유배생활을 하다 절망감으로 강가를 하염없이 거닐며 시를 읊조리다가 「회사懷沙의 부賦」를 마지막으로 고결한 성품을 그대로 간직한 채 돌을 안고 미뤄강, 즉 멱라강汨羅江에 몸을 던졌다. 중국에서 음력 5월 5일에 벌어지는 유명한 용선龍船 축제는 이 애국시인의 유체를 찾던 것에서부터 비롯되었다)을 추모하고 기념하는 날이라고 하여 '시인절詩人節'이라고도 했다. 이날이 되면 사람들은 강에 배를 띄우고, 동시에 쌀을 담은 대나무 통을 강에 던져 제사를 지내고 굴원을 애도했다. 이날에는 용 모양의 배를 타고 경주(용선경기)도 하고 굴원이 물고기의 밥이 되지 말라고 던져주었던 '종자綜子'도 먹는다.

옛날에는 음력 5월이면 날씨가 더워져 뱀과 해충 등이 번성하여 마을에 전염병이 돌곤 했다. 따라서 5월을 '오월惡月'이라 여겼고, 5월 5일은 더욱 불길하다고 여겨 이날 태어난 아들은 아버지를 해치고 딸은 어머니를 해친다고 생각해 아이를 버리는 풍습까지 있었다. 사람들은 재앙과 병을 없애기 위해 대문에 창포를 꽂고 부적을 붙였으며, 몸에 향주머니香囊를 차고 창포 뿌리를 말려 빚은 웅황주雄黃酒를 마셨다.

종자粽子

웅황주雄黃酒

용선龍船 경기

(5) 칠석七夕

음력 7월 7일인 칠석은 견우성과 직녀성이 서로 만나는 날로 여자들은 오색실을 칠공七孔바늘에 끼우고 술과 과일을 뜰에 차려놓은 후 직녀에게 길쌈 실력이 늘기를 빌었다고 한다. 또 이 시기에는 비가 많이 오는데, 사람들은 이를 견우와 직녀가 만나 눈물을 흘리는 것이라고 생각했다. 이 설화는 하늘의 여신인 왕모낭낭王母娘娘(중국인들이 왕모낭낭이라고 부르는 신은 바로 서왕모西王母를 지칭하는 것이다. 중국인들은 서왕모를 온화하고 위엄 있는 풍채에 옥황상제의 고귀한 부인이라고 생각한다)과 관계가 있다. 여신의 딸인 직녀가 인간 세상을 좋아한 나머지 인간 세상으로 내려와 견우와 결혼해서 1남 1녀를 낳았다고 한다. 이 사실을 알게 된 왕모낭낭이 직녀를 천궁으로 불러들였고, 견우가 이를 뒤쫓아 갔다.

그러자 왕모낭낭은 옥비녀로 하늘에 커다란 은하를 그려 견우와 직녀를 은하의 양쪽에 떨어져 있게 했다. 하지만 그들이 서로를 진심으로 사랑하는 것을 안 왕모낭낭은 1년에 한 번, 음력 7월 7일 하루만 만나도록 허락했다. 그리하여 이날이 되면 하늘의 수많은 까마귀, 까치가 자신들의 몸으로 은하에 다리를 놓아 견우와 직녀가 만나도록 했다. 그 뒤 사람들은 은하의 양쪽에 하나씩 빛나는 별을 볼 수 있었는데, 이것이 바로 견우성과 직녀성이라는 것이다.

요즘도 중국 사람들은 젊은 남녀를 중매하는 일을 '오작교를 놓는다'고 말한다. 이날이 되면 전국 곳곳의 미혼 남녀들이 자신의 짝을 찾기 위해 각종 행사를 갖는다. 또한 저녁에는 부녀자들끼리 달빛 아래에서 누가 빨리 바늘에 실을 꿰는지 시합을 벌이고, 손재주를 뽐내는 풍습인 '걸교乞巧'가 행해진다.

칠석행사

걸교乞巧

(6) 중추절仲秋節

중추절은 북송 때부터 음력 8월 15일로 정해졌으며, '8월절'이나 '단원절團圓節'이라고도 한다. '중추절'이라는 명칭은 음력 7, 8, 9월이 1년 중 가을에 해당하고 그중에서 8월이 중간이며, 또 8월 중에서도 15일이 중간이기 때문에 가을철의 한가운데라는 의미에서 붙여졌다. 또 '단원절'이란 명칭은 매년 중추절이 되면 흩어졌던 가족들이 둥근 보름달처럼 모두 부모님 곁으로 모이는데, 이를 중국어로 '단원團圓'이라고 하기 때문에 생겨난 것이다.

고대의 황제들은 봄에는 태양에, 가을에는 달에 제사를 지냈다고 한다. 그 후 한대漢代에 이르러, 달에 제사를 지내던 것에서 달을 감상하는 풍습賞月이 생겨났고 이 풍습은 당대唐代에 와서 크게 유행했다. 민간에서는 이날 달이 뜨면 부녀자들은 달에 제사를 지내고 달놀이를 하며 정성들여 만든 월병月餠을 먹었다. 월병은 중추절에 먹는 음식으로서 달같이 둥글게 만든 과자인데, 안에 달콤한 소를 넣어 구웠다. 주로 단원절에 먹는다고 하여 단원병團圓餠이라고도 부른다.

전하는 말에 의하면 원元나라는 한족에 대한 통치를 강화하고, 백성들의 반란을 방지하기 위하여 10가구당 한 개의 식칼을 사용하게 할 정도였다. 그래서 당시 농민봉기를 계획하고 있던 주모자는 조직적인 봉기를 위해 날짜를 쓴 메모를 월병 안에 넣어 각 가정에 보냈다. 중추의 밤에 사람들은 월병 속에 담긴 메모를 보고 일제히 봉기를 일으켰다. 그로 인해 중추절에 월병을 먹고 이웃에게 월병을 보내는 풍습이 생기게 되었다.

월병月餅

(7) 중양절重陽節

중양절은 음력 9월 9일이다. 『주역周易』에서는 6을 음수陰數라 하고 9를 양수陽數라고 하였는데, 9월 9일은 양수인 9가 두 번 겹쳐진 날이기 때문에 중양절이라 한다. 고대 중국인들은 이날을 길일이라 여기고 높은 산에 올라가 술을 마시며 축하하는 풍속이 있었다.

후한시대에 '비장방費長房'이라는 사람이 제자였던 환경桓景에게 "9월 9일 자네의 집에 큰 재난이 닥칠 것이니 붉은 주머니에 산수유를 넣어서 어깨에 메고 높은 산에 올라가 국화주를 마시면 재난을 피할 수 있을 것이다"라고 말했다. 환경이 그 말을 듣고 그대로 했다가 집에 돌아와 보니 과연 집 안의 개, 돼지, 닭, 양들이 모두 죽어 있었다. 중양절에 높은 산에 올라가 국화주를 마시는 풍습은 이로 인해 생겨난 것이다.

국화는 장수에 좋은 식물로 향기로운 맛을 지니며, 산수유는 그

맛이 향기롭고 강렬하여 구충, 제습 등에 쓰였을 뿐만 아니라 옛사람들은 사악한 기운을 쫓는 신물로도 여겼다.

중국인은 숫자 9를 매우 좋아한다. '9'가 '오래되다久'와 발음이 같고, 숫자 중 가장 큰 수로 여겨져 오래되고 장수한다는 뜻을 지니고 있기 때문이다. 중국 정부가 1989년 9월 9일을 노인의 날로 정하면서 중양절은 전통과 현대적인 의미를 동시에 갖게 되었다. 이날 전국의 기관과 단체들은 퇴직한 노인들을 위해 가을 여행 등과 같은 다양한 행사들을 기획하고 실행한다. 이날에는 또한 중양떡을 먹는다.

특히 중양절에는 사람들이 술을 마시는데, 9월 9일의 '9九(jiu)' 자가 중국어로 술을 뜻하는 '주酒(jiu)' 자와 동음이기 때문이다. 이날은 술 가운데서도 특히 국화주를 즐겨 마시는데, 9월은 바로 가을 하늘이 높고 공기가 맑으며 국화가 무성하게 피는 때이기도 하다는 의미가 담겨 있다.

국화주菊花酒

이처럼 사람들이 국화를 좋아하는 것은 추운 날씨도 두려워하지 않으며, 봄날에 피었던 수많은 꽃들이 모두 시드는 때 홀로 피어 있는 고결한 품성을 본받고자 하기 때문이다. 그래서 중양절이 되면 사람들은 높은 산에 올라 국화주를 마시며 단풍으로 붉게 물든 경치에 흠뻑 취하는 것이다.

중양절 경축행사

(8) 납팔절臘八節

납팔절은 음력 12월 8일이다. 납臘이란 원래 섣달에 지내는 제사의 이름으로 8신에게 제사를 지낸다고 하여 납팔절이라고 한다. 한편 12월 8일은 석가모니가 득도한 날이어서 불교의 명절이기도 한다. 따라서 이날 불사佛寺에서는 불경을 암송하고 찹쌀, 콩 등의 잡곡과 과일을 넣은 '납팔죽臘八粥'을 쑤어 불공을 드린다. 후대에 와서는 민간에서도 유행하여 촌민들이 잡곡으로 죽을 쑤어 먹으며 금강역사金剛力士(부처님의 법을 지켜주는 인왕)로 분장하고 북을 치면서 천연두를 쫓아내기도 했다.

납팔죽臘八粥

납팔죽 나눠 먹기 행사

기념일

중국의 공휴일과 기념일은 중국공산당의 정통성과 혁명성을 고무시키기 위해 제정된 날로 다분히 정치적인 색채를 띠고 있다. 1949년 신중국 건국 이후 중국 정부는 추석, 단오와 같은 전통명절은 의도적으로 경시하면서 여성을 혁명 역량으로 적극 활용하기 위해 '부녀절婦女節' 등을 기념일로 정하는 등 정치적 이념의 선전 수단으로 사용했다.

중국의 근현대에 지정된 기념일 명칭만 봐도 중국이 사회주의 국가임을 금방 알 수 있는데 다른 나라에 비해 군사와 관련된 기념일이 많다는 점도 주목할 만하다.

그러나 최근 이런 기념일과 연휴는 본래의 정치적인 수단을 넘어서 경제적인 측면에서 더 큰 역할과 의미를 지니고 있다. 중국 정부가 최대 목표로 삼고 있는 소비를 통한 '경제 건설'을 위해 연휴를 적극 장려하고 있는 것이다.

(1) 부녀절婦女節

부녀절은 양력 3월 8일로 국제 여성 투쟁 기념일을 함께 기념하고 있다. 이날은 1908년 3월 8일 미국 시카고의 여성들이 남녀평등을 요구하면서 시위를 거행한 사건을 기념하여 1909년 덴마크 코펜하겐에서 제2차 국제사회주의여성대회가 개최되면서 국제 여성의 날로 정해졌다.

중국은 1924년 3월 8일 광주에서 중국공산당 제1차 3・8부녀절 기념회의를 개최했고, 1949년에 3월 8일을 부녀절로 정했다. 법정

부녀절婦女節 기념행사

공휴일로 지정된 부녀절 하루만큼은 모든 여성이 직장은 물론 집안
일도 하지 않고 쉰다. 이날은 여성들에게 공원 등이 무료로 개방되
며, 직장에서는 여러 가지 문화 행사를 진행하고, 정부에서는 전국
여성들 가운데 모범 여성을 뽑아 기념행사를 진행한다.

(2) 노동절勞動節

중국의 노동절인 양력 5월 1일은 우리나라보다 약 10년 먼저인 1995년

주 5일 근무제五日工作制가 시작된 날이기도 하다. 중국은 주 5일 근무제를 도입하면서 법정 공휴일은 110일이나 되었다. 그럼에도 불구하고 중국 정부가 주 5일 근무제를 조속히 시행한 것은 소비를 진작시켜 위축된 내수시장을 활성화시키고, 갈수록 늘어나는 실업 문제를 '일 나누어 하기'로 해결할 수 있다는 판단에서였다. 노동절은 춘절(7~10일 연휴), 국경절(7일 연휴)과 함께 중국의 가장 긴 연휴 중 하나다.

　노동절의 법정 공휴일은 5일로 정해져 있지만 소비 촉진을 위한 방편으로 정부의 장려하에 일주일을 쉬고 그다음 주 토, 일요일에 추가로 일을 하는 방식을 택하고 있다. 이 기간 동안 백화점들은 대대적인 세일행사를 준비하고, 여행사들도 다양한 저가의 여행 상품을 내놓아 휴일 경제의 소비를 부추기고 있다. 연휴가 끝나면 성省마다 소비에 관한 통계 수치가 언론에 대서특필되고 있는 것이 현재 중국의 노동절 풍경이다.

노동절 경축행사

노동절 기념포스터

(3) 청년절青年節

청년절은 양력 5월 4일이다. 1919년 5월 4일 중국에서는 굴욕적인 파리강화조약 체결의 무효를 주장하고, 반제국주의·반봉건주의를 표방하는 '5·4운동'이 일어났다. 북경에서 시작하여 전국적으로 확산된 '5·4운동'은 청년들이 그 선봉 역할을 했다. 중국 정부는 이 영광스러운 전통을 청년들에게 계승·발양시키기 위해 5월 4일을 청년절로 정했다. 이날 청년들은 한나절을 쉬면서 기념활동을 벌인다.

청년절 기념포스터

(4) 아동절兒童節

양력 6월 1일은 세계 아동의 날이다. 1949년 국제민주여성연합회는 모스크바에서 전 세계 아동의 권익을 보호하고, 아동학대를 반대하기 위해 6월 1일을 국제 아동의 날로 정했다. 이날 중국의 어린이들은 각종 기념행사에 참가해 놀이를 하며 즐거운 하루를 보낸다.

중국에서는 산아제한정책으로 '한 자녀 낳기' 운동을 실시하고 있지만 농촌에서는 일손 확보나 대를 잇기 위해 두 번째, 세 번째 자녀를 출산하는 일이 끊이지 않고 있다. 이렇게 출산된 아이들은 '흑해자黑孩子'라고 불리며, 출생신고조차 할 수 없어 인권을 보장받을 수 없다.

현재 아동절은 법정 공휴일이 아니지만, 우리나라의 어린이날과 마찬가지로 곳곳에서 어린이들을 위한 다채로운 행사가 열린다. 아이들은 유치원과 초등학교에서 오락 활동을 중심으로 이루어진 아동절 행사를 치른 후 집으로 돌아온다. 가정에서는 자녀를 위한 선물을 준비하고, 가족이 함께 즐거운 시간을 보낸다.

아동절 기념포스터

아동절 경축행사

(5) 건당절建黨節

양력 7월 1일로 중국공산당 건립 기념일이다. 1941년에 와서야 7월 1일 중국공산당 탄생일로 정했다. 매년 이날이 되면 기념행사가 열리고 주요 신문에는 기념 문장이 실린다.

건당절 기념포스터

건당절 기념행사

(6) 건군절建軍節

건군절은 양력 8월 1일로 '중국 인민해방군中國人民解放軍' 창군 기념
일이다. 1927년 8월 1일 중국공산당은 제1차 국내혁명전쟁의 실패
를 만회하기 위해 강서성江西省 남창南昌에서 무장 봉기를 일으켰다.
당시 지도자는 주은래周恩來·주덕朱德·하룡賀龍·섭정葉挺 등이었다.
무장 봉기를 일으킨 부대는 이듬해 4월 정강산井岡山에 도착하여 마
오쩌둥毛澤東이 지도하던 농민 봉기 부대와 합류, 중국공농홍군中國工農
紅軍 제4군을 조직함으로써 독립적인 무장 세력을 갖게 되었다. 이를
기념하기 위해 1949년 중국공산당이 집권한 후 제정한 날이다.

건군절에는 각 부대 단위별로 열병식閱兵式이 거행되며, 첨단무기
로 무장한 군인들이 행진과 특수부대의 실전무술 시범이 텔레비전
을 통해 방영되기도 한다. 그리고 이날은 각종 단체나 기업에서 군
인들을 위해 위문공연을 준비하거나, 선물이나 축하카드를 보내는
등 다양한 행사를 벌인다.

건군절 월병식

건군절 기념포스터

(7) 국경절國慶節

양력 10월 1일은 중화인민공화국이 건립된 날이다. 중국공산당의 영도 아래 중국 인민은 1949년 10월 1일 천안문 광장에서 민족의 독립과 해방을 쟁취했으며, 중화인민공화국이 설립되었음을 선포하고 새로운 역사를 시작했다. 매년 이날에는 경축행사를 진행하는데 천안문 광장 앞에서 대규모 집회 및 열병식을 거행하기도 한다. 특히 2009년에는 건국 60주년을 맞이하여 천안문광장에서 중화인민공화국 건국 이래 최대의 열병식이 거행되었다. 최첨단 무기들이 총동원되었으며 역사상 최대 규모의 군사 행진이 펼쳐져 높아진 중국의 위상을 전 세계에 과시하였다.

국경절 기념포스터

국경절 축하행사

국경절 열병식

2009년 천안문광장 국경절행사

8장

중국의 음식

　중국은 음식에 관해서는 세계 최고 수준을 자랑하고 있다. 중국 음식은 다양한 종류와 요리법, 풍부한 재료와 향신료 등으로 세계적인 명성을 얻고 있는데, 종류가 너무 많아 중국인들조차 메뉴판에 적힌 이름만으로 어떤 음식인지 추측하기 어렵다고 한다. 이런 이유로 중국인들은 음식을 주문하는 일을 가지고 '하나의 학문'이라고까지 말하고 있다.

　또한 중국 정사의 하나인 『한서漢書』에는 "백성이 먹는 것을 하늘처럼 여긴다(民以食爲天)"는 말이 있다. 사람이 살아가는 데 있어 가장 중요한 것은 먹는 것이고, 따라서 백성들이 배불리 먹을 수 있도록 하는 것이 통치의 관건이라는 경고다. 실제로 백성들이 굶주리면 반란이 일어났고, 그 결과는 왕조의 변화로 이어졌다. 최근 중국 지도층이 소강小康사회를 추구하는 이유가 백성들을 굶주리지 않도록 하는 데 있다고 해도 과언이 아니다.

중국 음식 문화사

　중국요리는 넓은 영토로 인해 지역마다 맛의 특징이 뚜렷하게 구분되는데, 그 지역의 자연 조건에 맞게 특색 있는 요리를 발전시켜왔다. 대체로 남쪽 지방의 음식은 달고, 북쪽 음식은 짜며, 서쪽 지방 음식은 시고, 동쪽 음식은 매운 특징을 가지고 있다. 또한 음식의 종류와 맛의 다양함에 있어서 중국요리는 단연 세계 최고라고 할 수 있다. 2003년 사스 발생으로 인해 야생동물을 음식재료로 사용하는 것을 중국 정부에서 금지하고 있지만, 얼마 전까지만 해도 곰, 자라, 고양이, 들쥐 등을 비롯하여 살아 있는 것은 무엇이든 요리의 재료로 삼았다. 불로장생不老長生 사상과 밀접한 관계를 맺으며 살아온 중국인들은 음식을 건강의 기본으로 여겨 음식을 통해 몸을 보신하고 병을 예방하며 치료하고 건강하게 오래 살 수 있다고 생각하며 맛을 낼 때도 오미五味를 조화롭게 이용하였고, 일상생활 속에서 '식의동원食醫同源(약과 먹는 것은 뿌리가 같다)', '음화식덕飮和食德(마시고 먹는 일은 덕이다)'을 새기며 살아왔다.

　또한 하나의 왕조가 탄생하면 그에 따른 새로운 풍습과 음식문화가 형성되고 발전했다는 사실로 미루어 음식문화가 오랜 역사를 가졌음을 알 수 있다.

　나라가 혼란스러울 때는 상대적으로 새로운 요리가 적게 개발되었고, 태평성대에는 왕실과 권력자들의 미식 욕구를 충족시키기 위해 맛있는 요리들이 올려졌는데, 그 과정에서 다양하고 진귀한 요리가 발달하게 된 것이다. 결국 중국요리는 왕실요리와 귀족요리, 입에서 입으로 전해 내려온 서민요리가 한데 어우러져 발전한 것이라고 할 수 있다.

(1) 신화시대의 음식문화(삼황오제三皇五帝 시기)

삼황오제시대는 신화시대로 수인燧人씨가 불을 이용하여 음식을 굽거나 새끼를 꼬아 기록하는 법을 가르쳤다고 한다. 수인씨의 뒤를 이은 복희伏羲(삼황 가운데 처음으로 꼽히는 고대 중국의 전설상의 제왕 또는 신. 수렵과 어로를 가르치고 역易의 팔괘八卦를 고안하였다고 전한다)씨는 그물을 만들어 고기를 잡는 법과 울타리를 만들어 짐승을 기르는 방법, 밭을 가는 방법을 가르쳤고 신농神農씨는 농경사회를 정착시키고, 의학과 약초의 신으로써 사람들의 병을 치료해 주었다고 한다.

(2) 하夏, 상商, 주周대의 음식문화

① 하대夏代

이 시기에는 의적儀狄이 누룩을 써서 술을 만들었다고 한다. 지하에서 발굴된 다양한 종류의 청동기 주기酒器로 당시의 음주 풍속을 알 수 있는데, 특히 하왕조 17대 걸왕桀王은 악명 높은 폭군으로 '말희妹喜'라는 미녀에게 빠져 술 연못과 고기 숲인 '주지육림酒地肉林'에서 헤어나지 못했다는 기록이 있다. 이를 통해 우리는 당시의 궁중요리가 얼마나 발달했는지 알 수 있다.

② 상대商代

탕왕湯王의 비妃를 따라온 이윤伊尹이라는 사람이 세발솥鼎: 진흙으로 만든 삼발 위에 시루를 얹어 사용과 도마를 가지고 탕왕에게 요리를 올리며 국정에 관해 조언하자 즉시 그를 재상으로 등용했다고

사모무대방정

한다. 이것이 바로 요리사가 문헌에 등장하는 최초의 기록이다. 특히 정鼎은 육류를 삶거나 끓이는 도구였다. 현재까지 발굴된 것 중에서 가장 큰 정은 '사모무대방정司母戊大方鼎(1939년 은허에서 발굴)'으로 무게가 875kg이나 된다.

③ 주대周代

『상서尚書·홍범洪範』 편을 보면 기자箕子가 주나라 무왕武王에게 나라를 다스리는 법을 설명하면서 "나라를 다스리는 여덟 가지 사항 중에서 으뜸이 먹는 것이요, 둘째는 재물이다"라고 말했다는 기록이 있다.

『시경詩經』에는 먹을거리로 등장하는 식물이 130여 종, 동물이 200여 종, 어류가 10종, 가축류가 38종이 있고, 이 외에도 소금, 장, 꿀, 생강, 계피, 후추 등의 조미료가 등장한다. 특히 주대의 궁중에서는 곰 발바닥, 낙타 발굽, 원숭이 입술, 사슴 목줄, 표범 아기집, 낙타 혹, 잉어 꼬리, 매미 배 등 진귀한 재료로 만든 팔진요리八珍料理를 즐겼다고 하며 황제의 음식을 준비하는 관리가 208명, 일손은 2,000명이 넘었다고 한다.

(3) 춘추전국春秋戰國시대의 음식문화

춘추시대 제나라 역아易牙라는 사람이 조리법에 정통하여 맛있는 음식으로 환공桓公을 기쁘게 해드렸다는 고사가 있는데 이후 뛰어난 요리 기술과 음식에 대한 책자를 '역아유의易牙遺意(역아가 남긴 뜻)'라고 부르게 되었다.

공자는 『논어論語·향당鄕黨』 편에서 음식을 바르게 만들어 먹는 요령에 대해 "쉰밥이나 상한 생선은 먹지 말라. 익지 않거나 제철이 아닌 것은 먹지 말라. 반듯하게 자른 것이 아니면 먹지 말라. 간이 맞지 않은 것은 먹지 말라. 식욕이 당기는 대로 고기를 먹지 말라. 몸가짐이 흐트러질 정도로 술을 마시지 말라. 제사에 쓴 고기는 사흘을 넘기지 말 것이며, 사흘이 넘은 것은 먹지 말라. 먹을 때 말하지 말라"는 가르침을 남겼다.

또한 『춘추좌씨전春秋左氏傳』에 식사를 손으로 했다는 기록이 있는 것으로 보아 그 당시만 해도 숟가락은 없었고, 젓가락은 국의 건더기를 집어 먹을 때만 사용한 것으로 보인다.

(4) 진秦, 한漢대의 음식문화

한나라가 서역西域으로 진출하기 전까지는 주식으로 기장이나 보리를 먹었다. 하지만 시베리아로부터 제철 기술이 도입되어 농업 생산성이 향상되고, 장건張騫이 실크로드를 열면서 이란, 이라크에서 석류, 포도, 오이, 호두, 향채香菜, 녹두, 파, 밀 등이 유입되자 중국 왕실의 식탁은 풍성해졌고, 식기도 금, 은, 칠기 그릇 등을 만들어 사용하기 시작했다. 그리고 전한前漢 말 이후에는 분식에 관한 단어가 생겨나기 시작했다. 밀가루를 면麵이라 하였는데 차츰 그 의미가 넓어져 곡물가루를 모두 면이라 부르게 되었다. 그뿐만 아니라 곡류를 가루로 내서 만들어 먹는 음식(떡, 만두 등) 조리법도 생기기 시작했다.

(5) 삼국 위魏, 촉蜀, 오吳 및 남북조南北朝시대의 음식문화

① 삼국시대

오나라와 촉나라는 남쪽에 위치해 있어 맛 좋은 쌀이 많이 생산되었다. 그러나 남쪽 지방 사람들은 끈기 없는 조나 기장에 길들여져 있어 쌀을 좋아하지 않았다.

② 남북조시대

남북을 중심으로 주식과 부식의 구별이 뚜렷해지는 시기였다. 남방에서는 제사 때 고인이 즐겨 먹던 음식이라고 해서 만두를 올리기도 했는데, 이것으로 보아 분식이 귀했다는 사실을 알 수 있다. 또한 생선을 소금에 절인 다음 쌀밥 사이에 끼워놓고 몇 주 동안 돌로 눌러서 발효시킨 '자鮓'를 먹었다. 이는 남조의 주식이 쌀이었음을 말해주는 단적인 예라고 하겠다.

(6) 수隋, 당唐대의 음식문화

수·당시대에는 대운하大運河가 건설되어 강남의 질 좋은 쌀이 북경까지 전달되면서 북경 일대의 식생활이 풍요로워졌고, 좁쌀이나 수수를 주식으로 먹던 화북 지방의 식생활에도 큰 변화가 일어나기 시작했다.

또한 물레방아를 이용하여 제분을 시작함으로써 대량생산의 길이 열려 일반 서민들도 밀가루 음식을 먹을 수 있게 되었다. 이때부터 일반인들도 빵, 만두, 전병 등을 만들어 먹었다.

페르시아 지방에서 설탕이 들어오기 시작한 것도, 특히 한나라 이후 가장 번영하고 강대했던 당나라 때에는 수차水車가 도입되어 제분업이 기계화되었는데, 이는 분식紛食이 획기적으로 확산되는 계기가 되었고 조리 기법도 크게 발달하였다.

한편 수양제陽帝 때에 강남지역에서는 게를 술지게미나 설탕에 절인 탕해糖蟹를 올렸다고 한다.

(7) 송宋대의 음식문화

북송시대에 시인 소동파蘇東坡가 가난에 허덕이는 고을 사람들을 위해 만든 동파육東坡肉(동포로우)은 들어가는 재료도 많지 않고 요리법도 비교적 간단하여 900여 년이 지난 지금까지도 많은 사람들이 즐겨 먹는다. 이 시기에는 지리적인 조건으로 남쪽에서는 생선요리를, 북쪽에서는 양고기와 같은 육류를 많이 먹었다.

남송시대에는 육류가 귀했던 탓에 채식이 보편화되었고, 북방의 식생활이 남방으로 퍼져 나가면서 남북의 음식문화가 교류되는 중요한 발판을 마련했다.

동포로우東坡肉

(8) 원元대의 음식문화

원대는 중국의 음식이 서방세계로 전해지게 된 시기다. 이탈리아인 마르코 폴로가 지은 『동방견문록東方見聞錄』을 통해 서양에 전해진 국수 만드는 기술은 이탈리아에서 파스타 요리로 발전하여 세계인들의 사랑을 받고 있다. 몽고인이 중심이 된 원대에는 산에서 잡은 토끼, 사슴, 멧돼지, 족제비, 염소, 야생마 등을 즐겨 먹었고, 구이가 주된 요리법으로 사용되었다.

(9) 명明대의 음식문화

1560년대에는 미국이 원산지인 옥수수, 고구마, 감자, 고추와 같은 작물들이 회교도들을 통해 감숙성에 전해졌다. 하북성을 무대로 하고 있는 명대의 유명한 소설 『금병매金瓶梅』에는 여러 가지 음식 이름이 등장하여 당시의 음식문화를 엿볼 수 있다. 특히 이 책을 통해 당시 밀가루 음식이 주식이었고, 옥수수죽도 상류층의 연회에나 등장하는 고급 별미 음식이었음을 알 수 있다.

또한 이 시기는 도로나 운하 등이 잘 발달되어 남방에 이르는 길이 잘 트였기 때문에 각 지역의 특산물, 향신료, 과일 등을 쉽게 구할 수 있어서 요리법이 한층 더 발달했다.

(10) 청淸대의 음식문화

발전을 거듭하던 중국요리는 청대에 이르러 부흥기를 맞는다. 중국요리의 진수로 꼽히는 '만한전석滿漢全席(대략 전체 108가지 요리로 절반은 만주족 음식, 절반은 한족 음식으로 만주와 한족의 대표음식을 모두 모아놓았다는 뜻이며, 이는 청나라 궁중요리의 집대성이라 할 수 있다'은 청나라시대의 화려함과 호사스러움의 극치를 보여준다. 상어 지느러미, 곰 발바닥, 낙타 등고기, 원숭이 골 등 중국 각지에서 가져온 희귀한 재료로 만든 100종 이상의 요리를 이틀에 걸쳐 먹는 것으로 유명한 이 요리는 그 당시에도 완벽하게 만들 수 있는 사람이 몇 명 되지 않았다고 한다. 이 시기에는 조와 기장 및 수수의 일종인 고량高粱과 옥수수가 중요한 곡식이었으며, 청나라 말기 서양 문물이 들어온 후에는 토마토와 양파가 널리 사용되었다. 중국은 대륙 면적에 비해 해안선의 길이가 상대적으로 짧은 편이어서 서안이나 낙양 같은 내륙에서는 해삼류나 자라와 같은 해산물이 귀했다.

만한전석滿漢全席

중국 음식의 특징

(1) 재료의 선택이 매우 자유롭고 광범위하다

중국요리는 다양한 식물과 동물이 재료로 이용되고 있다. 닭을 예로 들어보면, 살코기뿐만 아니라 껍질, 날개 끝, 벼슬, 발까지 요리 재료로 사용한다. 돼지의 신장, 집오리의 혓바닥도 중국인이 좋아하는 맛있는 요리 재료의 하나이고, 오리를 재료로 한 요리도 50가지가 넘는다. 그뿐만 아니라 말린 제비집이라든가 상어 지느러미 같은 재료는 주나라 때부터 이용되기 시작하여 지금도 고급 요리 전문점에서 비싼 가격에 팔리고 있다.

(2) 맛이 다양하고 풍부하다

중국인들은 단맛, 짠맛, 신맛, 매운맛, 쓴맛의 다섯 가지 맛 외에 향과 냄새를 복잡 미묘하게 배합한 요리를 만들어냈는데, 이러한 중국요리의 다양한 맛은 전 세계의 어떤 요리에서도 맛볼 수 없는 것이다.

(3) 기름을 많이 사용한다

중국요리에는 기름을 사용하지 않는 것이 거의 없다고 할 정도로 기름에 튀기거나 볶거나 지진 요리가 대부분이다. 또한 적은 재료를 가지고 독특한 방법으로 재료의 맛을 살리면서 영양분이 파괴되지 않도록 요리하는 것이 특징이다. 즉, 고온에 단시간 가열하고 기름에 파, 마늘, 생강 등의 향신료를 넣어 독특한 향을 낸다.

(4) 조미료와 향신료의 종류가 풍부하다

중국요리에 쓰이는 조미료와 향신료는 그 종류가 다양하며 많은 요리에 사용되어 냄새도 제거하고 맛을 더욱 풍부하게 한다. 일반 식당에서 쓰는 양념의 종류만 해도 50여 가지가 되고, 조미료의 종류도 500여 종에 이른다. 중국요리의 맛이 독특하고 풍부한 것도 이처럼 많은 종류의 조미료와 산초, 계피, 파, 마늘 등의 향신료를 적절히 이용하기 때문이다.

(5) 조리법이 다양하다

중국요리는 조리기구가 간단한 반면, 조리법은 아주 다양하여 용어만 해도 100여 개가 넘는다. 일반적으로 많이 사용하는 조리법에는 국 요리(湯: 탕), 기름에 볶는 법(炒: 차오), 기름에 튀기는 법(炸: 자), 팬에 약간의 기름을 넣고 지지는 법(煎: 젠), 직접 불에 굽는 법(烤: 카오), 주재료에 액체를 부어 쪄내는 법(燉: 둔), 튀긴 다음 달콤한 녹말 소스를 얹어 만드는 법(熘: 류), 훈제하는 법(燻: 쉰), 쪄내는 법(蒸: 쩡) 등이 있는데 이 중에서 특히 볶는 방법(炒: 차오)을 가장 많이 사용한다.

(6) 불의 세기에 요리의 성패가 달려 있다

중국요리는 불의 세기와 볶는 시간에 요리의 성패가 달려 있다고 할 수 있다. 불의 세기나 성질에 따라 중화中火(중간 정도의 센 불), 소화小火(약한 불), 미화微火(여린 불), 왕화旺火(맹렬히 타오르는 불, 이글거리는 불), 맹화猛火(매우 센 불) 등으로 나뉜다.

(7) 조리기구가 간단하고 사용이 용이하다

조리기구는 다양한 요리에 비해 놀라울 정도로 종류가 적고 사용법도 간단하다. 중국 냄비(火鍋: 훠궈), 볶음·튀김 냄비(沙鍋: 사궈), 그물형 조리(漏勺: 러우사오), 찜통(蒸籠: 정룽) 외에 식칼, 뒤집개, 국자 등이 조리기구의 전부라고 할 수 있다.

(8) 외양이 풍요롭고 화려하다

중국요리에는 몇 인분이라는 개념이 없다. 따라서 한 사람 앞에 적당한 분량을 담는 것이 아니라 한 그릇에 전부 담아낸다. 먹을 사람이 많아지면 요리의 양이 아니라 가짓수를 늘리는 것이 원칙이다. 그만큼 한 그릇에 담긴 하나하나의 요리가 풍요롭게 보이며 화려한 장식이 곁들여져 마치 아름다운 경치를 보거나 예술작품을 대하는 느낌을 준다.

지역 특성에 따른 요리

(1) 남방요리와 북방요리의 특징

남방 지역에서는 쌀로 만든 음식을 주식으로 한다. 쌀밥은 채소나 탕 같은 반찬과 함께 먹는다. 또한 콩의 가공식품인 순두부나 콩국 및 쌀죽과 같은 간편식을 개발하여 요리하는 번거로움을 피하기도 했다. 북방요리와의 가장 큰 차이점은 남쪽의 바다와 강에서 나는 해산물과 담수어를 이용한 음식이 다양하다는 것이다.

이에 비해 북방 지역의 주된 농작물을 밀이다. 이들은 만두(饅頭: 만터우), 중국식 밀전병(烙餅: 라오빙), 소를 넣은 찐빵(包子: 빠오즈), 둘둘

말린 찐빵(花卷: 화쥐엔), 국수(面條: 미앤티아오), 밀가루를 반죽하여 얇게 민 다음 잘게 저민 고기나 야채를 넣어 싼 것(餃子: 쟈오즈) 등을 주식으로 즐겨 먹는다. 북경이나 청도青島, 천진天津과 같은 비교적 큰 도시의 가정에서는 아침에 집 근처 가게에서 긴 꽈배기 모양의 유조(油條: 요우티아오), 중국식 두유(豆醬: 또우지앙) 등을 사서 먹는다. 밀을 이용한 음식들은 쌀과는 달리 그 자체가 일품요리의 역할을 하기 때문에 곁들임 요리가 많이 필요치 않다. 또한 북방은 목초지가 많아 쇠고기나 양고기 등 육류를 이용한 요리가 남방에 비해 발달되었다.

만터우饅頭

라오빙烙饼

삐오즈包子

미앤티아오面條

화쥐엔花卷

쟈오즈餃子   요우티아오油條

(2) 중국의 4대 요리

중국요리의 특성을 구분지어 표현하면 '남쪽 요리는 달고, 북쪽 요리는 짜며, 서쪽 요리는 시고, 동쪽 요리는 맵다'고 할 수 있다. 색으로 구분해보면 남쪽은 흰색이나 푸른색 등 재료의 원색을 그대로 살리는 편이며, 북쪽은 간장으로 맛을 내어 대체로 검다. 동쪽의 음식은 고추를 많이 써서 붉은색을 띠고, 서쪽의 음식은 동쪽과 같이 매운 맛을 내면서 약간은 신맛을 띤다고 할 수 있다.

① 사천四川요리

중국 남서부 내륙 지방에 위치한 사천성 요리의 중심은 성도成都와 중경重慶, 그리고 자공自貢 지역의 요리다. 사천요리는 조리법이 복잡하고 기술이 섬세하며 고추와 생강을 많이 사용하여 음식 맛이 맵고 색깔이 깊고 진하다.

사천 사람들은 "호남 사람은 매운 것을 두려워하지 않고, 귀주 사람은 매워도 겁내지 않지만, 사천 사람은 맵지 않을까 두려워한다湖南人不怕辣, 貴州人辣不怕, 四川人怕不辣"는 말이 있을 정도로 매운 것을 좋아한다. 특히 여름에는 덥고 겨울에는 몹시 추우며 낮과 밤의 기온 차가 크기 때문에 이런 날씨에 견디기 위한 요리가 발달했다. 우리나라 사람들에게도 친숙한 마파두부麻婆豆腐(마포또우푸)는 두부와 다진 돼지고기를 이용한 것이며, 궁보계정宮保雞丁(꽁바오찌딩)은 닭고기와 땅콩을 고추와 함께 볶은 것, 어향육사魚香肉絲(위시앙로우쓰)는 돼지고기와 목이버섯을 볶은 것이다. 또 내륙 지방에 위치한 지리적 여건으로 해산물을 이용한 요리보다는 각종 야채, 육류, 민물고기 등을 이용한 화과火鍋(훠궈)요리가 발달했는데, 그중에서도 마랄화과麻辣火鍋(마라훠궈)가 대표적이다. 특히 사천식 김치는 한국의 김치와 비슷하다. 어느 것이 먼저인지는 정확하지 않지만 조선 중종 때 『훈몽자회訓蒙字會』에 소금물에 절인 야채라는 뜻의 침채沈菜가 처음 등장하며, 문헌에는 이 침채가 16세기 말인 임진왜란 때 들어왔다고 기록되어 있다.

마포또우푸麻婆豆腐

꽁바오찌딩宮保雞丁

위시앙로우쓰魚香肉絲

훠궈火鍋

마라훠궈麻辣火鍋

② 광동廣東요리

'먹는 것은 광동에서食在廣東'라는 말이 있을 정도로 광동지역은 옛날부터 요리가 발달한 곳이다. 특히 광주廣州는 조주潮州와 함께 광동요리를 대표하는 도시로서, 전국에서 먹는 것에 가장 많은 비용을 지출하는 지역이기도 하다. "네 발 달린 것 중에서 책상과 의자를 제외하고는 다 먹고, 날아다니는 것 중에서는 비행기 빼고 다 먹는다"라는 말이 나온 진원지이다.

광동지역은 중국의 남쪽에 위치하여 열대성 식물을 이용한 신선하고 담백한 요리가 특징이며, 16세기부터 스페인과 포르투갈 등 세계의 상인들이 모여드는 무역항이었기 때문에 중국요리 방법을 모체로 외지의 향신료를 첨가한 국제적인 요리법이 다양하게 개발되었다.

광동요리는 매운맛을 내는 사천요리와는 달리 다양한 재료를 가지고 지지거나 튀긴 후 소량의 물과 전분을 풀어서 마무리하는 방법으로 음식 재료가 가지고 있는 자연의 맛을 잘 살려내고 있다. 신선하고 부드러운 맛과 시원하면서도 매끄러운 맛을 강조하는 광동요리는 특히 탕湯을 중요하게 생각한다. 중국요리의 보석으로 꼽히는 딤섬点心은 그 종류만도 수백 가지가 넘는 이 지역의 대표 음식이다. 아침식사도 다른 지방에 비해 훨씬 복잡한 얌차飲茶(차)를 마시다로 시작하는데 여러 가지 반찬과 소를 넣은 찐빵包子(빠오즈)을 비롯하여 단맛이 나는 과자류 및 죽 등 종류만 해도 수십 가지가 넘는다.

딤섬点心　　　　　　　　　룽후또우龍虎鬪

　뱀, 곤충, 개, 원숭이, 새, 토끼, 고양이 등의 진귀한 재료를 이용
한 요리가 많다는 것도 광동요리의 특징이다. '용과 호랑이가 싸운
다'는 의미의 '용호투龍虎鬪(룽후또우)'라는 요리는 실제로 뱀과 고양
이를 함께 끓인 기상천외한 음식이다. 그 밖에 구운 돼지고기 요리
인 차소육叉燒肉(차샤오로우)과 구운 비둘기 요리 고유합拷乳鴿(카오루
거)도 유명하다. 그러나 2003년 사스의 발생으로 야생동물을 요리재
료로 사용하는 것이 법으로 금지되어 음식을 맛보기 어렵게 되었다.

차샤오로우叉燒肉　　　　　　　카오루거拷乳鴿

③ 산동山東요리

4대 문명의 발상지인 황하를 중심으로 발달한 산동요리는 북방을 대표하는 요리로 특히 해산물 요리가 유명하다. 산동은 춘추전국시대부터 요리가 발달했다. 공자, 맹자와 같은 중국 최고 유학자들이 제사를 지내기 위해 음식을 연구한 지역이기도 하고, 명·청시대에는 산동 출신의 많은 요리사들이 황궁에 들어가 궁중요리인 만한전석의 구심점이 되는 등 중국요리에 미친 영향력이 상당히 컸다.

중국에서도 손꼽히는 어장인 산동반도에서 나는 풍부한 해산물을 주재료로 하는 산동요리는 제남濟南요리와 교동膠東요리로 구분된다. 가정을 중심으로 발달한 제남요리는 재료 선택의 범위가 넓어서 종류가 다양하고 맛이 향기롭고 순하며 연하다. 그리고 섬세한 조리법이 특징인 교동요리는 주재료와 부재료의 배합을 중시할 뿐만 아니라 해산물을 이용한 요리가 많아 맛이 신선하고 담백하다.

산동요리는 조미료 사용을 최소화하고 재료 본래의 맛을 중요시한다는 점에서 광동요리와 비슷하다. 현재 한국에 들어와 있는 화교 대부분이 산동성 출신으로, 우리가 먹는 중국음식은 엄밀히 말하면 산동식 중국요리라고 할 수 있다.

산동요리는 짜고 신선하고 연한 풍미風味를 추구하며, 강한 화력을 이용한 '순간 볶기'의 요리법을 발달시켰다. 또한 산동요리는 산동 일대의 대규모 밀과 채소 재배의 특성을 살려 북방의 면麵음식을 주도해왔으며 대파의 활용에도 능하다. 이 밖에도 청탕淸湯, 내탕奶湯 등의 탕요리가 뛰어나며, 바다가 가까워 생선과 어패류 재료를 이용한 요리가 많은 것도 특징이다. 유명한 요리로는 탕추황허리위糖醋黃河鯉漁와 칭탕이엔워淸湯燕窩 등이 있다.

탕추황허리위糖醋黄河鯉漁   칭탕이엔워淸湯燕窩

④ 강소江蘇요리

소주·항주는 동쪽이 바다이고 서쪽은 장강(양자강)이 중부를 가로지르는 비옥한 토지를 가진 지역으로 '어미지향魚米之鄕(물고기와 쌀의 고향)'으로 불린다. 양자강 하류 지역을 포함한 강소요리素菜(쑤차이)는 조리 방법이 세심하고 맛이 담백하고 양념을 적게 사용하여 재료 본래의 맛을 살리는 것으로 유명하다.

강소요리는 수나라 시기에 대운하가 건설되면서 수양제가 강도江都로 내려오면서 북방의 요리 기법을 가져와 강남 본토의 신선한 식재료들과 조화를 이루게 한 것을 계기로 발전했다고도 전한다.

항주 서호의 초어醋魚는 송수어宋嫂魚라고도 하며, 청나라의 강희康熙 황제가 놀러 왔을 때 먹어보고 크게 칭찬했던 요리다. 유명한 요리로는 칭쩡스위淸蒸鰣漁, 칭뚠시에펀스즈토우淸燉蟹粉獅子頭 등이 있다.

칭쩡스위淸蒸鰣漁   칭뚠시에펀스즈토우淸燉蟹粉獅子頭

그 밖의 지역별 요리의 특징

(1) 호남湖南요리

호남요리는 불의 사용법과 음식의 조형미를 중시하기 때문에 칼의 사용법이 교묘하고 맛과 모양이 뛰어나며, 음식은 대체로 시큼하고 매운맛을 낸다.

대표적인 요리로는 '조암어시組庵魚翅(쭈안위츠으)'와 '취두부臭豆腐(초우또우푸)'를 들 수 있다. 청나라 말기 호남 사람인 담연개譚延闓라는 정치인의 집에서 만든 상어 지느러미 요리가 일품이었는데, 조암어시는 이것을 특히 좋아한 그의 호 '조암組庵'을 따서 지은 것이다. 고약한 냄새가 나는 취두부는 마오쩌둥이 즐겨 먹던 음식으로 유명하다.

쭈안위츠으組庵魚翅 　　　　　　　 초우또우푸臭豆腐

(2) 복건福建요리

중국의 동남부에 위치한 복건은 동쪽으로 바다가, 서북쪽으로 산이 있고 기후가 온화하여 산해진미山海珍味를 맛볼 수 있다. 특히 수산자원이 풍부한 복건지방의 요리는 달고 신맛이 특징이며, 연하고 향기로우며 신선한 맛의 탕요리도 유명하다. 대표적인 요리로는 들짐승과 해산물, 날짐승이 다 들어가 보양식으로 한국에도 널리 알려져 있는 '불도장佛挑牆(포티아오치앙)'이 있다.

(3) 북경요리

북경요리는 북부 지역을 대표하는 요리다. 북경은 오랫동안 중국의 정치·경제·문화의 중심지답게 고급요리가 발달했다. 1,000년 이상의 역사를 갖고 있는 북경오리구이北京烤鴨(베이징카오야)가 유명하며 튀김요리와 볶음요리 등 맛이 진하고 기름진 요리가 발달해왔다.

베이징카오야北京烤鴨

(4) 상해上海요리

상해요리는 양자강을 중심으로 한 중국 중부 지역을 대표하는 요리로, 전통적인 상해요리가 있었던 것은 아니다. 근세에 들어 정치·경제적으로 발전하면서 자연스럽게 상해요리가 이 지역을 대표하게 된 것이다. 19세기부터 유럽의 침입을 받은 상해가 중심이 되어 그 지역의 요리를 차츰 서구식으로 발전시켜 나갔다. 상해요리는 바다와 가깝기 때문에 해산물을 많이 이용하고 간장과 설탕을 많이 써서 달고 농후한 맛을 내며, 진하고 선명한 색채를 낸다는 특징을 가지고 있다. 대표적 요리로는 해삼을 조리한 '하자대오삼蝦子大烏參(샤즈따우썬)'과 닭고기에 포도주를 넣고 조리한 '귀비계貴妃鷄(구이페이지)'가 있다.

샤즈따우썬蝦子大烏參   꾸이페이지貴妃鷄

(5) 소수민족의 요리

중국은 역사적으로 여러 민족이 서로 융합하면서 음식문화의 내
용도 대단히 풍부해졌다. 음식 재료에서는 오이와 호두, 잠두콩, 마
늘 등이 서역의 소수 민족에게서 전파되었고, 조리 기술에서는 한대
궁정 안팎에 두루 호식胡式(오랑캐 음식)이 보급되어 당대唐代에는 대
단한 인기를 누리기도 했다.

이백은 「소년행」이란 시에서 "꽃잎이 떨어지면 이를 밟고 어디로
여행 갈까, 웃음을 흘리는 오랑캐 여인의 술집으로나 가보자"라고 노
래했고, 또 다른 시 「남쪽 숭산으로 돌아가는 배씨를 보내며」라는 시
에는 "오랑캐 여인들이 흰 손을 흔들어, 손님을 유혹하여 금 술잔에
취하게 하네"라고 노래하였다. 당시 당나라의 수도 장안 청기문靑綺門
일대에는 소수 민족들의 술집이 손님을 접대하기 가장 좋은 장소로
환영받고 있었다. 서역 여인들이 길 가는 손님들의 발길을 잡고 정성
껏 접대하는 풍경은 지금도 북경의 신강촌新疆村에서 찾아볼 수 있다.

다양한 소수민족음식은 독특한 지역 풍미를 담고 있어 지금도 중
국 전역에서 서민들의 사랑을 받고 있다. 그 가운데 비교적 전형적
인 음식으로는 다음과 같은 것들이 있다.

① **회족回族**: 양고기 꼬치구이와 포호炮糊 등이 있다. 회족의 거주
   지는 전국에 분산되어 있지만, 각지의 회족들은 이슬람교 음식

습관을 그대로 유지하고 있다. 음식업이 회족들이 경영하는 주요 산업 가운데 하나이다. 회족이 사는 곳이면 어디든지 회족 음식점이 있는데, 북경의 양꼬치구이는 회족이 중국의 음식문화에 미친 중요한 영향 가운데 하나이다.

② **위그루**维吾尔族: 수조반手抓飯과 양고기 통구이, 양꼬치구이 등이 있다. 쌀과 서역 무, 포도, 양파, 양기름 등을 주요 재료로 하여 만드는 수조반은 달콤한 맛을 낸다. 양고기 통구이는 혼례나 명절 때 귀빈들을 대접할 때 만들어 먹는 음식이고, 양꼬치구이는 서역의 풍미를 지닌 간식이다. 개혁·개방 이후 양꼬치구이를 필두로 하여 위구르족의 음식이 대거 중국의 강남으로 유입되었다. 북경에도 증광로增光路와 중앙 민족대학 근처에 전문적으로 위그르 음식을 파는 식당가가 출현한 적이 있다.

③ **태족**傣族: 죽소어竹燒漁와 대나무통 찹쌀밥이 있다. 태족의 음식에는 동남아시아의 풍미가 담겨 있다. 태국의 경제가 발전하면서 태족의 음식이 홍콩과 광주, 곤명, 북경, 상해 등지를 석권하기도 했다.

④ **몽고족**蒙古族: 전양석全羊席과 수파육手把肉, 말젖술 등이 있다.

⑤ **조선족**朝鮮族: 냉면과 김치, 개고기요리가 있다.

⑥ **장족**藏族: 장족의 대표 음식은 수유차酥油茶, 청과주青果酒, 충초설계虫草雪鸡, 마고양육蘑菇羊肉 등이 있다.

⑦ **백족**白族: 생피生皮, 모로탕괴毛炉汤锅, 해채두부탕海菜豆腐汤 등이 있다.

⑧ **묘족**苗族: 비파肥粑, 오향어五香鱼 등이 있다.

⑨ **장족**壯族: 장가수계壮家酥鸡, 단원결团圆结: 豆腐圆 등이 있다.

⑩ **동족**侗族: 포미유차泡米油茶, 나미고주糯米苦酒 등이 있다.

(6) 한국인들이 좋아하는 중국 요리

만약 중국이나 대만에 갔을 때 다음과 같은 중국요리를 시킨다면 비교적 만족스럽게 중국요리를 먹을 수 있을 것이다. 한국인이 좋아하는 중국요리는 다음과 같다.

① **소총반두부小葱拌豆腐**: 네모난 생 순두부에 참기름과 소금으로 간을 하고 파를 잘게 썰어 얹은 요리.

소총반두부小葱拌豆腐

② **장우육醬牛肉**: 장조림과 비슷하며 편육처럼 얇게 저며 차게 먹는 것이 특징이다.

장우육醬牛肉

③ **어향육사魚香肉絲**: 가늘게 썬 돼지고기에 죽순, 목이버섯, 잘게 썬 파, 생강 등을 넣어 각종 조미료로 볶다가 전분과 육수로 걸쭉하게 마무리하는 요리.

어향육사魚香肉絲

④ **회과육回鍋肉**: 비계가 약간 있는 돼지고기에 마늘종, 마늘, 양파 등을 넣고 간장과 식초로 간을 해서 볶은 요리로 우리 입맛에 맞음.

회과육回鍋肉

⑤ **매채구육梅菜扣肉**: 우거지 위에 돼지고기 삼겹살을 얹고 간장

등의 양념을 해서 찐 요리로 역시 맛이 독특하면서 우리 한국인의 입맛에 맞는다.

매채구육梅菜扣肉

⑥ **철판우육鐵板牛肉**: 쇠고기와 양파, 파, 마늘 등을 기름, 참기름, 간장, 후추, 조미료, 황주, 전분 등으로 간을 해 철판에 올려놓고 볶은 요리. 뚝배기처럼 철판에 그대로 요리가 담겨 나오는 것이 특징이다.

철판우육鐵板牛肉

⑦ **마의상수螞蟻上樹**: 쇠고기 다짐을 볶은 당면과 섞는 요리인데, 잘게 다져진 쇠고기가 당면에 붙어 있는 것이 마치 개미가 나무로 올라가는 것 같다고 해서 붙여진 이름으로 야채가 들어가지 않은 우리의 잡채와 비슷하다.

마의상수螞蟻上樹

⑧ **궁보계정宮保雞丁**: 닭고기와 땅콩, 고추, 오이, 당근, 양파, 생강 등을 각종 조미료로 볶아낸 요리

궁보계정宮保雞丁

⑨ **향고유채香菇油菜**: 향고는 표고버섯이고 유채(청경채)는 겉절이 배추와 비슷한 채소이다. 두 채소를 기름에 볶은 요리이므로 표고버섯의 향기와 유채의 부드러운 맛을 느낄 수 있다.

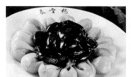

향고유채香菇油菜

⑩ **마파두부麻婆豆腐**: 한국의 중국 요리점에서도 자주 나오는 요리로 한국에서는 덮밥식으로도 나오는데 중국에서는 접시에 요리만 나온다. 돼지고기 다짐에 각종 조미료를 넣고 기름에 볶다가 깍두기 모양으로 썬 두부를 넣은 뒤 물녹말로 걸쭉하게 마무리한다.

마파두부麻婆豆腐

⑪ **팔진두부八珍豆腐**: 새우, 해삼, 표고버섯, 마늘 등과 살짝 튀긴 두부를 질그릇에 넣고 간장으로 간을 해서 끓인 요리.

팔진두부八珍豆腐

⑫ **과파鍋巴**: 과파는 누룽지를 살짝 튀겨 소스를 부어 먹는 요리이다.

과파鍋巴

이 밖에도 북경요리 가운데 가장 유명한 '북경오리구이北京烤鴨'가 있다. 북경에서 통오리구이로 가장 유명한 음식점은 '전취덕고압점全聚德烤鴨店'으로 약 100여 년 역사를 가지고 있으며, 이곳의 오리구이 맛은 매우 훌륭하다.

전취덕고압점全聚德烤鴨店   북경오리구이北京烤鴨

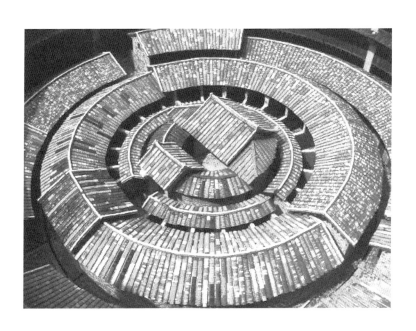

제2부

중국의
현대대중문화

9장

중국 대중문화의 이해

20세기 초반 중국의 대중문화산업大衆文化産業은 서구의 영향을 받았는데, 특히 유럽과 미국의 영향을 받았다. 1920~1930년대에 중국 대륙에서 일기 시작한 한족 중심의 민족주의 영향으로 인해 당시 구중국舊中國에서는 대중문화大衆文化 중 영화를 자체적으로 제작하기 시작하였다.

1949년 신중국新中國(1949년 10월 1일 중화인민공화국中華人民共和國이 건국되었다. 1949년 이전의 구중국과 구별하기 위해 중국공산당은 1949년 이후의 중국을 신중국이라 한다)이 건국되면서 대중문화는 국가로부터 철저한 통제를 받았다. 그리고 새롭게 건국된 국가 체제를 옹호하고 선전하고자 하는 목적을 갖고 대중문화를 제작하였고, 몇 개 공산국가를 제외하고는 대중문화의 교류가 거의 없었다.

1978년 개혁개방이 천명된 이후 중국의 대중문화는 점점 활기를 띠었지만 대체적으로는 홍콩과 대만과의 교류가 이루어졌다. 1990년대 중반 이후 한국의 대중문화가 중국에서 인기를 얻으면서 중국의 대중문화 또한 활발하게 발전하고 있다.

중국의 대중문화는 1977년 이전과 1978~1989년, 1990년대, 2000년대로 나눌 수 있다. 첫 번째 단계는 유럽 문화적 기원과 농민 문화적 성격을 띠고 있는 프롤레타리아 군중문예에 속한다. 두 번째 단계는 서양적 근대성의 수입과 번역, 국가와 시장의 긴장과 협상의 단계이고, 세 번째 단계인 1990년대는 팝문화 혁명 혹은 소비문화 혁명에 주목하면서, 중국의 대중문화가 온전한 의미에서 서양적 대중문화의 형세를 보이고 있다.

본문에서는 대중문화란 무엇이고, 대중문화의 역할에 대해 소개하고자 한다.

대중문화란 무엇인가

우리는 일상생활에서 대중문화라는 말을 자주 사용하고 있다. 그러나 문화라는 말이 그러하듯이 대중문화 역시 복잡하고 모호하다. 먼저 일반적으로 알고 있는 대중문화의 개념을 살펴보면 다음과 같다.

우리는 흔히 대중문화는 고급문화에 비해 수준이 낮은 것으로 생각한다. 예컨대 클래식이나 오페라는 고급문화에 속한다고 여긴다. 그러나 이러한 생각도 최근에는 변하고 있다. 뉴욕 필하모니 같은 오케스트라가 번스타인 같은 유명한 지휘자의 지휘로 비틀즈의 레퍼토리를 연주하기도 한다. 과거에는 대중적인 작품으로 받아들여지던 것이 지금에 와서는 고급문화의 범주로 분류되는 것들도 적지 않다. 셰익스피어의 연극은 동시대 사람들에게 그저 대중적인 연극이었을 뿐이며 찰스 디킨스의 소설 또한 마찬가지였다. 이른바 고급과 대중을 가르는 심미적 기준 역시 고정되어 있는 것이 아니라는 것이다.

또한 사람들은 고급예술을 하기 위해서는 대중문화에 비해 훨씬 많은 재능과 훈련이 필요하다고 생각하는 경향이 있다. 그러나 예컨대 에릭 클랩튼 같은 기타리스트의 훈련과정이 요요마 같은 연주가에 비해 수월했다고 말하기는 힘들 것이다.

사람들은 고급문화는 오랫동안 사랑받는 것이고 대중문화는 일시적인 유행으로 그친다고 여긴다. 그러나 이러한 판단은 근거가 확실하지 않다. 20세기 초 재즈는 21세기가 된 지금도 여전히 연주되고 있고 1950년대 엘비스 프레슬리와 1960년대 비틀즈의 음악은 지금까지도 매년 가장 많은 저작권료를 발생시킨다. 이른바 고급문화의 유산들이 수백 년간의 역사 속에서 형성되어 온 것인 데 반해, 우리가 대중문화라고 부르는 것은 겨우 100년이 되지 않는다. 따라서 대중문화와 고급문화를 수평적으로 비교하는 것은 무리가 있다. 모든 고급예술이 살아남지 않듯이 모든 대중문화 산물이 금방 사라지지는 않을 것이다.

결국 우리가 상식적으로 이해하고 있는 대중문화 개념은 많은 허점과 모순을 지니고 있다. 이는 대중문화에 대한 오랜 편견이 상식이라는 이름으로 자리 잡은 것에 기인하기도 하지만, 대중문화 현상 자체가 복잡하고 다양한 측면을 포괄하고 있기 때문이다.

대중문화의 특징

대중문화란 이윤창출을 목적으로 대량으로 생산되며, 대량으로 소비되는 상업주의 문화를 말한다. 이러한 대중문화가 주목받는 이유는 현대사회의 지배적인 문화형태이기 때문이다. 대중문화는 관점에 따라 다양한 개념정의가 있을 수 있으며, 개념정의에 따라 긍정적인 면 또는 부정적인 면을 부각시킬 수도 있다. 대중문화의 특징을 살펴보면 다음과 같다.

첫째, 문화의 생산자와 소비자가 분리되어 있다. 바로 이 점에서 대중문화는 문화의 생산자와 소비자가 일치되어 있는 민속문화民俗文化 또는 민중문화民衆文化와 다른 성격을 지닌다. 여기서 말하는 대중문화의 생산자는 신문·방송·잡지·출판·영화·음반·광고·패션 등과 같은 대중문화산업이 된다. 그리고 소비자는 대중문화산업이 생산한 문화상품을 소비하는 불특정 다수인 대중이다. 현대사회에서 대중은 광범위한 공간에 산재되어 있으며, 익명의 원자화된 개인들로서 수동적인 존재들이다. 따라서 소비자인 대중은 대중문화산업의 문화상품 판촉활동에 의해 쉽게 조정되는 성격을 지닌다.

둘째, 대중문화의 창조자는 대중문화산업에 고용되어 있거나 계약 관계에 있다. 즉, 대중문화의 창조자는 앞에서 지적한 대중문화산업 체들 가운데 어느 하나에 고용된 사원이거나 특정 업체와 계약을 맺고 창작활동을 하는 것이다. 대중문화의 창조자는 문화산업의 요구와 타협하여 문화 창조 행위를 하지 않을 수 없게 된다. 이 점에서 대중문화의 창조자는 자신의 독창적인 창조 행위에 전념할 수 있는 고급문화의 창조자와 구별된다고 할 수 있다.

셋째, 대중문화산업이 이윤창출을 목적으로 생산되는 상업주의 문화이므로 그 문화상품의 유통과정은 일반소비재와 마찬가지로 자유시장의 경쟁원리에 따르게 된다. 따라서 대중문화산업들은 관련 산업체와 시장점유율을 놓고 치열한 경쟁을 하지 않을 수 없다. 특히 신문·잡지·방송 등과 같은 대중문화산업들은 독자와 시청자라는 시장의 점유율을 높임으로써 광고수익도 증대되므로 치열한 경쟁을 하지 않을 수 없다.

넷째, 대중문화상품은 대량 생산되는 것이므로 상품이 규격화되지 않으면 안 된다. 그 결과 대중문화상품은 표준화되고 개성이 없는 제품이 되고 만다.

다섯째, 대중문화는 복제기술의 발달과 함께 성장해왔으며, 개인의 산물이 아니라 대중문화산업이라는 복합조직이 생산하는 제품이다. 그러므로 대중문화라는 상품은 복제기술과 조직이 결합되어 생산되는 제품이라 할 수 있다.

여섯째, 대중문화산업은 시장점유율을 높임으로써 더 큰 이윤을 창출하기 위해 대중문화 상품에 몇 가지 특성을 부여하게 된다. 즉, 대중문화 상품은 소비자들에게 아무런 부담을 주지 않고 소비될 수 있게 만들며, 소비자들이 대중문화상품을 통해 즉각적인 만족을 얻도록 하기 위해 가능한 한 흥미롭게 만든다. 그 결과 대중문화는 오락 지향적인 성격을 지니지 않을 수 없게 된다. 또한 시장점유율의 확대를 위하여 성별·연령·교육 정도·직업 등과 관계없이 누구나 즐길 수 있는 상품을 만들려 하기 때문에 모든 사람이 공통으로 흥미를 느끼는 섹스·폭력·모험 등이 주된 소재가 되며, 인구구조에서 차지하고 있는 비중이 큰 젊은이들과 여성들의 취향에 맞게 형식과 내용을 갖추게 된다. 빠른 템포의 춤과 노래는 젊은이의 취향에 따른 것이며, 멜로드라마, 애수와 연민의 정에 호소하거나 비탄에 빠진 운명을 그린 영화나 방송극 혹은 노래 등은 모두 여성의 취향에 맞춘 상품들이다.

일곱째, 대중문화의 상품은 유행성을 지닌다. 그 까닭은 두 가지로 볼 수 있다. 하나는 기본적으로 소비재이므로 즉각적인 만족을 준 다음 더 이상 생명력을 갖기 어렵기 때문이며, 다른 하나는 대중 문화산업이 지속적인 이윤확보를 위해 새로운 상품을 계속적으로 생산·유통시키기 때문이다.

대중문화의 범주

문화라는 개념 자체가 너무나 광범위하고 다양한 영역을 포괄하고 있는 것은 주지하고 있는 사실이다. 또한 대중이라는 개념 역시 보는 관점과 시각에 따라 적잖은 논란의 여지를 가지고 있기도 하다.

대중문화라는 개념을 구체적인 내용으로 정의하려는 시도는 언제 나 다양한 반론과 비판에 직면하기 마련이다. 서구에서 이루어진 문 화연구의 사례들을 보아도 대중문화는 그것에 대립되는 상대 개념 이 무엇인가에 따라 다양한 의미를 가져왔다.

대중문화는 그것을 지배하는 사람에 따라 고급문화, 민속문화 등 과 상대개념이 되어왔다. 특히 많은 사람들은 여전히 대중문화를 고 급문화의 대립개념으로 규정하였다.

고급문화의 상대개념으로 보면 대중문화는 저급한 싸구려 문화라 는 함의를 갖게 되고 민중문화라는 대립항을 설정하면 대중문화는 대중을 마취시키는 지배의 도구라는 측면에서 정의된다. 그동안 대 중문화는 긍정적이기보다는 부정적인 쪽으로 규정되어 왔다.

대중문화에 대한 복잡한 논의 구조 속에서 대중문화를 구체적인 대상으로 규정한다는 것은 쉽지 않다. 대중문화라는 것은 그 개념이 사용되는 맥락에 따라 때로는 서로 모순적일 수도 있는 여러 가지 것들로 채워질 수 있는, 그런 의미에서 사실상 비어 있는 개념이라 할 수 있다. 따라서 우리는 대중문화를 애써 정의하려 하기보다는 그것이 다양한 문화 담론 속에 어떤 방식으로 채워질 수 있는가를 살펴보아야 한다. 즉, 대중문화의 개념이 포괄하는 문제 영역이 무엇인가를 생각해야 한다는 것이다.

(1) 대중매체

인간은 태어나 죽을 때까지 다양한 미디어를 수단으로 커뮤니케이션을 한다. 한 송이 장미꽃이 미디어가 될 수 있듯이 인간이 사용하는 미디어는 매우 많다. 다양한 미디어들 가운데에는 비교적 규모가 작고 개인적인 수준에서 사사로이 사용되는 것도 있고 한꺼번에 다수의 사람들을 상대로 메시지를 유통시킬 수 있을 만큼 규모가 큰 것도 있다. 규모가 큰 것들, 이를테면 신문, 방송, 출판 광고, 영화, 음반 같은 미디어들은 몇 가지 공통점이 있다.

첫째, 이들은 모두 대규모의 자본을 필요로 한다. 예컨대 웬만한 영화 한 편을 만들기 위해서는 적어도 10억 원 이상의 돈이 든다. 그렇기 때문에 일정한 정도의 자본을 가지지 못한 사람들이 이런 미디어를 이용해 커뮤니케이션하기는 어렵다. 오직 자본을 가진 사람, 혹은 집단만이 이러한 미디어들을 통해 의미를 생산 유통시킬 수 있다.

둘째, 이들은 대량 복제의 기술을 전제로 한다. 그래서 이들은 인쇄술, 전자통신기술 등 대량복제 기술이 발명된 근대 자본주의 이후에 등장했다.

셋째, 이러한 미디어들을 통해 생산되는 커뮤니케이션 산물들은 모두 상품의 성격을 가지고 시장을 통해 유통된다. 미디어의 소유자들은 생산하고 대부분의 사람들은 이를 돈을 주고 사서 소비한다. 결국 여기에는 최소비용으로 최대이윤을 노리는 경제원칙이 작용한다.

넷째, 이들은 모두 한 사람의 힘으로 제작하기 어렵다. 여기에는 일정한 분업체계를 갖춘 집단, 즉 조직이 필요하다. 신문사, 방송사, 영화사, 음반회사, 출판사 같은 조직이 그것이다. 그 조직은 자본가를 정점으로 하는 위계구조를 갖는다. 작가, 피디, 가수, 연기자 등등.

다섯째, 이런 미디어들이 생산하는 의미들은 특정한 사람을 대상으로 하는 것이 아니라 불특정한 다수를 대상으로 한다. 이 불특정한 다수를 흔히 대중이라고 부른다. 이러한 몇 가지 특징을 공유하는 대규모의 미디어를 매스미디어, 혹은 대중매체라고 부른다.

우리가 흔히 대중문화라고 부르는 현상은 대중사회에서 매스미디어에 의해 형성된 문화를 지칭하는 경우가 많다. 영어로 mass culture에 해당하는 대중문화의 개념이 여기에 해당된다. 여기서 대중(mass)이라는 말에는 고립, 분산되어 있고 주체성을 가지지 못했으며 비합리적이고 열등한 집단이라는 경멸적 의미가 담겨 있다.

그러나 언제부터인지 서구 학계에서 mass culture라는 개념은 거의 쓰이지 않게 되었다. 경멸적인 대중의 개념 대신 중립적이거나 긍정적인 함의를 가진 대중성의 개념을 가진 popular culture라는 용어를 보편적으로 쓰고 있다. popular culture라고 할 때 대중문화는 다수의 사람들이 향유하는 문화라는 의미에 가깝다. 따라서 일반적인 의미에서 대중문화의 개념은 popular culture로서의 대중문화, 즉 많은 사람들이 소비 향유하는 문화라는 관점으로 접근하는 것이 타당하다. 사실 어떤 문화든 그것이 대중의 삶 속에 존재하며 대중에 의해 수용되지 않으면 아무런 의미가 없는 것이다.

(2) 대중문화의 생활화

대중문화는 우리의 생활공간 가장 가까운 곳에 존재한다. 우리는 길을 걷거나 밥을 먹는 것처럼 가장 일상적인 행위 속에서 대중문화를 접촉하고 실천한다. 예를 들면, 저녁식사를 하며 TV 드라마를 시청하고, 침대에 누워서 음악을 듣는다. 그리고 친구와 커피숍에서 커피를 마시거나 동료와 함께 술집에서 술잔을 기울이며 일상적으로 대중문화를 이야기한다. 대중문화를 수용 또는 소비하는 것은 전혀 특별한 것이 아니다. 그것은 마치 호흡을 하듯, 밥을 먹듯 자연스러운 일이다.

대중문화의 가장 중요한 특징은 자연스러운 일상 속에서 그다지 특별하거나 낯설지 않은 행위로 존재한다는 사실이다. 이 말은 대중문화 실천이 의식적인 선택에 의해 이루어진다는 뜻이다. 그런 까닭에 대중문화는 대중의 감수성이나 취향, 행동양식에 무의식적인 영향을 미친다. 서구의 대중문화연구에서 정신분석학 같은 학문 분야가 중요한 이론적 자원이 되는 까닭도 여기에 있다.

사실 대부분의 사람들은 자신의 문화적 취향이나 정치적 성향이 개인의 주체적인 선택이라기보다 자신의 일상을 둘러싼 문화 환경의 영향 속에서 형성된 것임을 인정하고 싶어 하지 않는다. 그러나 모든 사람의 취향이나 성향은 다분히 성장과정을 둘러싼 문화 환경의 영향 속에서 형성되는 것이며 대중문화는 그런 문화 환경의 가장 중요한 부분이다. 다만 그것이 너무나 가까이 일상적으로 존재하기 때문에 그 영향을 쉽게 인식하지 못할 뿐이다.

대중문화의 역할

　대중문화는 인간의 정신과 정서에 호소하는 성격을 지녔기 때문에 사회적 역할을 일반 소비재보다 광범위하게 수행하게 된다. 이와 같은 대중문화의 특징은 긍정적·부정적 측면을 동시에 지니고 있다.
　먼저 긍정적 특징은 다음과 같은 몇 가지를 들 수 있다.
　첫째, 문화를 보편적으로 공유하는 데 기여했다. 과거의 고급문화는 고등교육을 받은 경제적으로 부유한 계층만이 누릴 수 있었으며, 그 결과 대중은 문화를 향유할 기회를 박탈하여 문화로부터 소외되어 있었다. 그러나 대중문화가 발달되어 누구나 쉽게 대중문화 상품을 소비할 수 있게 되었다.
　둘째, 일상생활 속에서 받는 긴장과 좌절감을 해소시켜 줌으로써 생활에 활력을 불어넣어 준다. 그 결과 사람들로 하여금 새로운 활력을 얻어 생산적인 일에 종사할 수 있게 도와준다.
　셋째, 다수 사람들의 취향과 욕구를 반영하고 표현해줌으로써 사회의 일반적 가치를 표출하고 강화시켜 주기도 한다.
　넷째, 고급문화를 대중화시키는 가능성을 보여주었다. 그렇게 함으로써 고급문화의 성역을 무너뜨려 대중도 고급문화를 향유할 수 있게 만들었다. 대중문화가 고급문화의 수준을 저하시킨다는 비판이 있으나 이는 고급문화를 독점했던 계층이 자신들의 영역이 무너지는 데 대한 불만을 표현한 것으로 볼 수 있다. 모든 사람은 누구나 각자의 취향에 따라 문화를 선택할 권리가 있다. 따라서 대중문화가 저급하므로 무조건 배척해야 하고 고급문화를 옹호해야 한다는 주장은 재고되어야 한다.

이에 비해 부정적 특징은 대중문화에 대한 비판적 관점이라 할 수 있다.

첫째, 대중문화는 상업주의적 성격을 지니고 있으므로 대중의 말초적 흥미에 영합하기 위해 실질이 배제된 표피적이며 감각적인 문화를 사회에 전파시킴으로써 사회구성원들의 문화적 수준을 떨어지게 만든다.

둘째, 현실과 유리된 세계를 묘사하므로 이를 지속적으로 수용하는 대중들은 현실과 다른 환상의 세계에 빠지게 될 가능성이 많아지게 되고, 현실을 도피하는 수동적 인간으로 전락할 수도 있다.

셋째, 대중문화는 섹스·폭력·모험 등을 주된 소재로 삼기 때문에 사회구성원들에게 반사회적인 행동규범을 가르치며, 사치와 낭비의 풍조를 만연시키고, 황금만능주의를 전파시킨다. 특히 이러한 대중문화의 역기능은 청소년들에게 영향을 끼쳐 청소년의 일탈행위를 부추기며, 예외적인 병리현상을 과장하거나 지나치게 강조함으로써 사회의 미풍양속을 해칠 가능성이 매우 높다.

넷째, 대중문화는 현실보다 화려한 세계를 묘사하기 때문에 사회구성원들 사이에 상대적 박탈감을 만연시켜 사회불안의 요인이 되며, 좌절감과 욕구불만을 증폭시켜 비행과 범죄를 양산하기도 한다.

다섯째, 대중문화는 문화의 획일화를 초래하여 다양한 문화의 발전을 저해할 여지가 매우 많다.

여섯째, 대중문화는 대중매체를 장악하고 있는 지배층이 자신들의 이해利害를 선전하거나 대중을 조작하는 수단으로 이용된다고 비판받기도 한다. 2002년 월드컵을 유치했던 과정을 돌이켜 생각해보자. 언론이 쉴 새 없이 '월드컵을 유치해야 한다'고 떠들어대자, 월드컵 유치와 관련된 실익實益 계산이나 사회적으로 공개된 논의도 없이 전 국민이 거의 '집단 마취' 상태에서 월드컵 유치에 열을 올렸던 기억이 생생하다. 이렇게 대중매체를 통해 지속적으로 전파되는 메시지는 대중들에게 무조건 당연한 것으로 받아들여지기 쉽다. 따라서 지배층이 대중매체를 통해 자신들의 이익을 선전하는 메시지를 일방적으로 전파한다면 대중은 자신도 모르는 사이에 자신의 생각을 지배당하게 되는 것이다.

대중문화는 사람들에게 휴식과 오락의 기회를 제공하며, 일에서 얻은 스트레스를 해소시켜 준다. 또한 다양한 정보와 지식을 제공하여 대중들의 삶을 풍요롭게 가꾸어 주고, 대중들이 건전한 가치관을 형성하도록 도와주기도 한다. 그러나 대중문화가 지나치게 오락성과 향락성을 추구하고 상품으로서의 이윤 추구에만 집착한다면 오히려 대중들의 건전한 의식을 마비시키고 인간 소외를 불러오는 부작용을 일으킬 수도 있다. 대중문화가 바람직한 방향으로 나아가기 위해서는 대중문화에 종사하는 사람들의 노력과 역할도 중요하지만, 무엇보다 대중문화의 소비자로서 대중문화에 대한 비판적 인식을 갖추어야 할 것이다.

10장

중국 문화산업과 정책의 변화

　산업이 발전하기 위해서는 생산되는 제품과 소비할 수 있는 소비자와 시장이 존재해야 한다. 이러한 시장 및 수요공급의 측면에서 최근에 문화산업은 다른 산업에 비해 과학기술의 발전과 함께 지속 가능한 발전이 가능하고 고부가가치 산업으로 인식되고 있다. 특히 '문화산업'은 산업적 가치로 인정받은 것은 겨우 1세기밖에 안 되는 짧은 시간에 미국, 유럽 등 서구국가들이 다양하게 응용해왔다.

　이러한 측면에서 중국은 유구한 역사와 함께 다양한 문화적 유산을 보유하고 있는 국가이고 그만큼 중국의 일반 대중들은 내재적으로 문화에 대한 자부심이 많다. 그러나 실제 미국 등 서구국가들에 비해 문화가 산업으로서의 발전은 비교적 낙후된 상황이고 최근에 들어서야 관련 분야의 육성에 관심을 보이면서 대외적인 문화영향력을 제고하고 있다. 본문에서는 문화산업이란 무엇인가에 대해 간략하게 설명하고, 중국 문화산업정책의 현황과 발전방향에 대해 소개하고자 한다.

문화산업이란 무엇인가

　문화산업은 산업혁명 이후의 현대사회에서 문화와 경제, 기술이 서로 융합되어 가는 과정에서 비롯된 새로운 문화적 현상이다. 산업화가 경제와 과학기술의 융합으로 일어난 현상이라면 문화의 산업화 또는 산업의 문화화 현상은 경제와 과학, 그리고 문화가 하나로 융합되어 일어나는 현상이다. 현대사회에서 과학자들의 과학적 발견은 인류의 삶을 보다 편리하게 해주는 기술의 발명으로 이어지고 있으며 발명된 기술은 다시 경제적인 산업 활동에 응용되면서 과학과 경제의 융합이라는 새로운 경제적 계기를 이끌어내고 있다. 과학적 원리의 발견과 기술의 발명에 매진하는 것은 기본적으로 과학자들의 몫이지만 그 같은 과학적 지식이 인류의 삶을 위해 널리 이용되게 하는 과정은 사업가들에 의해 촉진되어 왔다고 하겠다.

　한편 문화 예술인들 역시 창조 활동을 할 때 다양한 도구와 기술적 산물들을 활용한다. 음악, 미술, 영화 등 다양한 형태의 문화 예술 작품들이 많은 사람들에 의해 향유되기 위해서는 도서, 음반, 비디오, 방송 등과 같은 대중매체들을 필요로 하며 그와 같은 매체의 발달은 과학기술의 발전에 크게 의존하지 않을 수 없다. 더 나아가서 이와 관련 있는 산업에 종사하는 사업가들의 활동에 크게 의존하지 않을 수 없다. 그러므로 오늘날의 문화산업은 문화예술인, 과학기술자, 사업가 등이 서로 깊이 연계되어 움직이고 있는 하나의 문화적 현상이라고 볼 수 있다.

　문화산업이란 표현이 처음 출현한 것은 독일의 프랑크푸르트학파의 아도르노(Adorno, Theodor Wiesengrund)와 호르크하이머(Horkheimer, Max)가 공동으로 저술한 『계몽의 변증법』(1947)에서였다. 이들은 제1, 2차 세계대전 이후 활발하게 전개되기 시작한 서구 자본주의 경제 시스템을 점검하면서 1930년대 중반부터 1950년대 무렵까지 서구사회에서 활성화되기 시작한 소비사회의 출현과 더불어 대중매체들과 대중문화의 확산에 주목해, 시대적 특징으로 문화산업이라는 개념을 이끌어내었다. 그리고 이 개념을 이용해 문화의 대중화 현상과 세속화 현상을 비판했다.

그러나 실제로 문화산업이 일반인들의 관심과 주목을 끌기 시작한 것은 오락성을 강조하는 미국 영화가 제2차 세계대전 이후 저렴한 가격으로 전 세계 시장에 대량으로 배급되어 국제적 영화 수요가 엄청난 규모로 증가하게 되고 미국 TV 영화 시리즈가 지구촌의 안방에서 절대적인 문화적 힘을 행사하게 되는 1970년대를 경과하면서였다.

그 후 문화산업에 대한 관심은 더욱 가속화되었다. 다국적 문화산업 기업의 등장, 이를 통한 국가 간의 문화적 지배와 종속 및 문화적 정체성(Cultural Identity)을 둘러싼 문제, 문화산업 부문에 대한 지원과 육성 등의 문제가 국가정책의 관건으로 부상하게 되는 1980년대에 이르면 문화산업은 도덕적 비판의 대상에서 벗어나 서구사회의 중심문화로 떠오르게 되어 새로운 문화적 위상을 정립하게 된다.

그럼에도 불구하고 유네스코위원회가 1982년에 제출했던 오귀스탱 지라르의 문화산업에 대한 보고서에 따르면 문화산업은 10개의 범주로 분류되어 있는데 도서, 신문, 잡지, 음반, 라디오, TV, 영화, 새로운 시청각 제품과 서비스, 사진, 미술품 복제, 광고가 그것이다.

이러한 문화산업의 개념과 범주는 분명 역사성이 가미된 시대적

산물이다. 이와 더불어 지역성, 민족성, 사회성 등과 같은 문화적 특수성과 개별성이 상호작용하는 가운데 규정되는 개념이기도 하다. 그런 까닭에 대량 생산과 소비의 가능성, 문화와 예술을 소재로 상품화한다는 점에서는 어느 정도 의견의 일치를 보면서도, 아직까지 명확한 개념정리와 범주체계는 학자에 따라 그리고 국가와 단체에 따라 상이한 형태로 제시되고 있는 것이 사실이다.

외국의 경우에 영국에서는 창조산업(Creative Industry), 미국에서는 정보산업(Information Industry), 캐나다에서는 예술산업(Art Industry), 일본에서는 전통산업(Traditional Industry)이라는 개념 등으로 문화산업이 정의되고 있다.

따라서 문화산업의 개념과 범주 체계를 설정하는 데는 한 국가가 처해 있는 현실과 실상, 그리고 문화적 특수성에 따라 그 기준이 달라질 수 있다. 그뿐만 아니라 해당국가의 산업화와 기술수준은 물론이거니와 시대별로도 기술의 발달에 의해 그 대상이 달라질 수밖에 없다.

문화산업의 분야는 출판, 인쇄, 방송, 영화, 음반, 수공예, 미술품 등의 분야로 국한되어 있다가 최근 들어 패션, 음식, 관광, 스포츠, 공연, 지방축제, 멀티미디어 콘텐츠 등으로 확장된 것에서도 알 수 있다. 이렇다 보니 문화산업의 통일된 개념과 범주를 명확하게 설정하는 것은 갈수록 어려운 일이 아닐 수 없다.

위와 같이 문화산업의 개념과 범주에 대한 다양한 견해와 주장을 살펴보면 다음과 같은 사실을 발견할 수 있다.

① 문화산업은 많은 자본을 필요로 한다.

② 대량 재생산 기술을 사용한다.

③ 문화를 상품화한다.

④ 시장경제의 노동조직을 바탕으로 한다.

이러한 관점에서 볼 때 문화산업의 생산자 입장에서 문화산업의 생산물은 분명 시장을 통해 소비자에게 전달될 수 있는 대량 생산 가능한 상품이어야 하고, 소비자의 입장에서 볼 때 이 상품은 문화적인 요소 가운데에서도 여가와 놀이의 수단이 될 수 있는 생산물이어야 한다. 이러한 점에서 현재 최고의 문화산업으로 주목받고 있는 컴퓨터 게임 산업이 문화산업으로 평가받고 있다.

게임 산업은 대량 생산 시스템에 의한 수평적이면서도 수직적인 시장 확대를 통해 그 상품의 가치를 확인시키고 있다. 하나의 게임 상품이 경제적 가치를 창출하기 위해서는 계층과 연령, 지역 등에 상관없이 광범위한 소비자의 욕구를 충족시켜 줄 수 있는 평등한 상품가치를 가져야 할 뿐만 아니라 소비자의 경제적 능력에 합당한 가격이어야 한다는 것이다. 이 외에도 놀이로서의 즐거움과 컴퓨터라는 정보사회의 놀이문화라는 상징적 가치를 보유하고 있어야 한다. 그리하여 생산자들에게는 상품판매를 통한 이윤 획득을 창출시키고 소비자들에게는 여가와 놀이를 통해 욕구를 충족시켜 주어야 하는 것이다.

문화산업의 개념과 범주 설정은 매우 어려운 일이다. 그러나 과학기술의 발전과 성장에 따른 생산성 향상의 여부, 그리고 놀이와 여가로서의 문화적 요소를 시대적 현실에 맞게 갖고 있느냐의 여부에 따라 결정될 수 있다고 하겠다.

중국 문화산업 정책의 현황

　개혁개방 30년을 거치면서 중국은 경이적인 경제성장을 이루었다. 세계 제2의 경제대국으로 성장하면서 경제대국으로서의 중국의 위치는 세계적으로 인정되고 있다. 중국은 지속적인 경제성장의 덕택으로 2011년 1인당 국민소득(GDP)이 5,000달러를 넘어섰다. 중국 정부는 2011년 ‘제12차 5개년 규획’에서 양적 성장뿐만 아니라 질적 성장을 강조한 포용성 정책을 그 주요 골격으로 삼았다. 균형적인 경제성장과 분배가 강조되면서 경제 영역뿐만 아니라, 문화강국으로서 중국의 위상을 높이자는 목소리가 중국 내에서도 커지고 있다.

　균형적인 경제성장과 문화강국 건설이라는 기치 아래, 중국 정부는 문화산업의 육성과 발전에 적극적으로 노력하고 있다. 중국 문화산업은 ‘국민경제 및 사회발전 제10차 5개년 계획(이하 제10차 5개년 계획)’에서 처음으로 제시되었고, ‘국민경제 및 사회발전 제11차 5개년 규획(이하 제11차 5개년 규획: 5개년 개발계획의 명칭에 있어서 제10차까지는 ‘계획計劃’이란 용어를 사용했으나 11차부터는 ‘규획規劃’이라는 용어가 사용됨. 사전적 의미에서 계획은 작업이나 행동에 앞서 세우는 구체적인 내용과 절차인 반면, 규획은 전면적인 장기적인 발전계획과 거시적·전략적인 뜻을 내포하고 있다)’에서 중국 문화산업의 발전을 위한 여러 조례나 규정을 마련하였으며, ‘국민경제 및 사회발전 제12차 5개년 규획(이하 제12차 5개년 규획)’에서 문화산업을 국민 경제의 전략산업으로 육성할 방침을 세우면서 점진적으로 발전해왔다.

　중국은 2000년에 들어오면서 문화산업발전정책을 제정하였다. 문화산업발전정책의 주요 내용은 문화산업발전을 가속화하고, 문화건설의 새로운 국면을 창조하는 것이다. 그리고 주요 목적은 중국 문화의 선진성과 독특성, 응집력과 감화력을 나타내는 데 있었다. 그러다가 2004년 7월 중국 상해에 국가동만게임산업진흥기지를 설립하면서, 문화콘텐츠사업과 인력양성을 주도하기 시작하였다.

2002년 중국공산당 제16차 전국대표대회에서 문화산업이라는 개념을 공식적으로 문건화하여 사용하였는데, 문화산업의 진흥을 전면적인 소강사회의 건설에 필수불가결한 전략적 부문으로 확정하였다. 즉, 문화를 국가발전을 위한 전략적이고도 경제적인 차원의 수단으로써 접근하였음을 의미하기도 한다. 또 문화시장체제의 개혁과 관리 메커니즘의 정비 및 문화산업정책의 강화를 통해 중국 문화산업의 총제적인 국제경쟁력을 강화할 것을 강조하였다.

중국은 지난 2005년 8월 '국무원 비공유 자본 문화산업진입에 관한 몇 가지 결정國務院關於非公有資本進入文化產業的若干決定'을 발표했다. 주요 내용은 문화예술단체, 공연장, 박물관 및 전람회장, 문화예술 중개업, 애니메이션 및 인터넷게임, 광고, 영화 및 TV 드라마 제작 및 배급, 방송영상기술 개발응용, 영화관, 도서간행물 소매, 음반 소매 등의 영역에 민간자본이 문화상품 및 문화서비스 수출업무에 종사하는 것을 격려하고 지지하며, 민간자본이 국유문화예술기관의 광고 및 발행, 라디오와 텔레비전 방송국의 음악·과학기술·스포츠·오락 관련 프로그램의 제작, 영화 제작 및 배급·상영 등의 영역에 있는 국유문화기업에 출자나 투자를 할 수 있지만, 그 출자총액의 49%를 넘지 못한다고 하였다.

또한 케이블TV 접속망 건설과 경영, 케이블 텔레비전 단말장치의 디지털화 개조에도 민간자본이 참여할 수 있지만, 그 출자총액의 49%를 넘지 못한다고 하였다.

본 결정에서는 민간자본이 참여하지 못하는 분야를 소개하고 있는데, 통신사, 신문잡지, 출판사, 라디오와 텔레비전 방송국, 방송송신시설, 중계시설, 방송위성, 위성중계시설, 모니터링시설, 케이블TV 전송 핵심망 등이 이에 속한다. 또한 인터넷을 이용해 시청 프로그램 서비스 업무에 종사하거나 뉴스 사이트 등을 개설해서도 안 된다.

한편 중국의 국제문화교류정책과 관련하여 2002년 4월 '음반영상제품의 수입관리조치'를 선포하였는데, 이 조치의 주요 목적은 동 조치의 제1조에서 잘 나타나고 있다. 제1조에서 음상音像제품의 수입관리를 강화하고, 국제문화교류를 촉진하며, 인민군중의 문화생활을 풍부하게 하기 위해서 '음상제품관리조례'와 국가의 관련 규정에 근거하여 이 조치를 제정한다고 되어 있다.

중국 문화산업 정책의 특징과 전략

중국 문화산업 정책은 '제10차 5개년 계획(2001~2005)'에서 처음으로 제시되었고, '제11차 5개년 규획(2006~2010)'에서 중국 문화산업의 발전을 위한 여러 조례나 규정을 마련하였으며, '제12차 5개년 규획(2011~2016)'에서 문화산업을 국민경제의 전략산업으로 육성할 방침을 세우면서 점진적으로 발전해왔다. 중국의 문화산업 정책은 최초로 '제10차 5개년 계획'의 첫해인 2000년부터 정식적으로 수립·실시되었다. 2000년 개최된 당 15회 5중전회에서 '제10차 5개년 계획 건의'가 통과되면서 문화산업에 대한 개념이 정식적으로 언급되었다.

'제11차 5개년 규획'에 따라 문화사업과 문화산업을 발전시키는 한편 금융, 보험, 물류, 정보, 법률, 복지 등 현대 서비스업을 향상시키는 내용을 명확히 밝혔다. 아울러 '제11차 5개년 규획 요강'에 따르면, 제11차 5개년 규획(2006~2010) 기간 동안 교육, 문화, 출판, 광고, 영상 등 디지털산업 발전과 풍부한 중문 디지털의 산업을 지향하고 애니메이션산업을 발전시킬 것을 명시했다. 이는 중국 정부가 문화산업정책을 통해 문화시장의 건설과 관리를 강화하며, 문화 관련 사업의 발전을 추진한다는 정책 방향을 나타낸 것으로서 상당한 의미를 부여할 수 있다.

'제12차 5개년 규획(2011~2016)' 기간 동안, 중국 정부는 문화산업을 국민경제의 주력 산업으로 육성할 방침이다. 중국 정부는 문화사업의 핵심 기업과 전략 투자자를 유치하고 적극적으로 각종 지원정책을 제시하였다. 이와 관련하여 중국 정부는 2011년 2월 세부적인 문화산업 발전계획을 연이어 발표하여 문화文化체제 개혁의 심화, 주력 기업 육성, 대외 교류 및 홍보 강화, 전통 문화의 계승과 활용, 문화산업 건설 등 '문화강국'이 되기 위한 여러 가지 전략과 정책들을 실시하였다.

또한 중국 정부가 문화산업의 중요성을 인정한 결과로서 대부분의 정책이 규제보다는 지원을 위한 정책이다. 아울러 자국의 문화산업을 보호한다는 차원에서 신중한 개방정책을 점진적으로 실시하고 있으며, 중국 정부가 주도적으로 모든 정책의 입안과 실행을 추진하고 있다.

중국 문화산업 정책의 전략적 목표는 전반적인 문화 체제를 개혁하고 주로 문화산업 기업체나 국영 문화기업을 단계적으로 기업식 시장경제 체제로 전환하는 데 초점을 맞추고 있지만, 공공성, 공익성 문화산업을 보편적으로 확대할 것을 강조하고 있다. 아울러 문화산업의 선도 기업을 집중 육성하겠다는 계획도 중요한 전략적 목표임과 동시에 건전한 시장경제 체제의 조속한 정착과 문화행정 관리체제의 혁신을 통한 중국식 문화산업의 국제경쟁력 강화에 노력을 기울이고 있다.

이와 같이 중국 정부는 균형적인 경제성장을 바탕으로 양적인 경제발전뿐만 아니라 질적인 문화산업 발전과 인력양성에 관심을 모으고 있다. 중국 정부는 문화산업은 단순한 물질적인 상품으로서만 구현되는 것이 아니라 국민 한 명 한 명의 잠재의식에 각인되고 미래의 창조력 및 생산력과 밀접한 관계가 있다는 점을 인식하고 각종 문화산업에 대한 정책적인 투자를 통해 국민들의 사회·문화 수준을 향상시키는 한편, 중국식 문화사업 체계를 구축하고자 노력하고 있다.

11장

중국 대중문화와 한류의 동반 성장

중국 내 한류 열풍은 좀처럼 식을 기미가 없어 보인다. 현재 한국 방송 3사 대부분의 TV 드라마가 중국의 공중파는 물론 인터넷 TV 에까지 거의 실시간 방영되고 있다. 또한 장서희, 권상우, 장우혁, 남규리 등 한국 유명 배우들이 중국 드라마에도 출현하고 있다.

한류 바람의 시발점은 드라마였으나, 최근 중국 내 한류를 주도하는 장르는 신한류로 일컬어지는 K-Pop과 아이돌 그룹이다. 디지털 방송과 인터넷으로 K-Pop의 신곡과 아이돌 그룹 소식이 실시간 전해지고 있다. 티아라, 소녀시대, 빅뱅, 장나라의 활동이 주목할 만하다. 빅뱅의 경우에는 최근 새 앨범이 발매된 즉시 3~4곡이 동시에 중국 음원차트 상위권에 진입하는 등 큰 인기를 끌고 있다. 또한 영화 부문에서도 현빈이 출연한 영화 <만추晩秋>가 개봉하자마자 중국 내 박스오피스 2위에 올랐다.

현재 중국에서의 한류는 드라마, 가요, 영화를 거쳐 음식, 게임, 패션, 관광 등 다양한 문화 분야로의 확대는 물론 소비재 수출까지 그 영역이 광범위해지고 있다. 본문에서는 한류의 탄생과 현황, 한류의 한계 및 개선방안에 대해 소개하고자 한다.

한류의 탄생과 현황

한류는 1997년부터 중화권에서 인기를 얻던 한국 대중문화를 북경에서 한국인이 운영하는 방송기획사가 처음으로 '한류韓流'라고 명기하였다. 그리고 1999년 한국 문화관광부가 한국가요의 홍보용 음반을 CD로 제작하여 해당 국가의 방송사, 잡지사, 대학, 디스코텍 및 한국공관에 배포할 목적으로 음반을 제작하였는데, 이때 음반의 영어와 일어 버전을 'Korean Pop Music', 중국 버전은 '한류-Song from Korea'란 타이틀을 달았다. 이때 중국 언론에서 한국 대중문화의 유행현상을 보도할 때 '한류'라는 용어를 그대로 인용해서 사용하였다.

1992년 8월 24일의 한중수교는 중국이 냉전 시기에 한국에 대한 부정적인 이미지를 긍정적인 이미지로 변화시키는 계기가 되었다. 그리고 클론이 1998년 대만에서 <꿍따리샤바라>를 유행시킨 이후, 한국의 댄스음악 등은 음악채널인 'V-채널'에 꾸준하게 방송되었다. 이는 한국 음악이 대만에서 중국으로 확산되도록 하였고, 2001년 HOT가 중국에서 폭발적인 인기를 얻으면서 중국 젊은이들이 춤, 헤어스타일, 패션 등에 있어 한국 스타를 모방하는 현상이 나타나자 중국 언론에서는 이러한 한류현상을 최초로 보도하게 되었다.

중국 전문가들은 한국 드라마 <사랑이 뭐길래(愛情是什么)> 등이 중국에서 인기를 얻는 이유로 "중국인과 비슷하게 삼대가 같이 사는 대가족, 고부간의 화목함, 부모는 자애롭고 자식은 효도하는 등이 포함된다는 점, 그리고 드라마 제작기술이 우수하고 정미하다는 점"을 강조한다. 특히 청화대학의 윤홍 교수는 문화적 영향으로 두 가지 유형을 꼽는데, 하나는 두 문화에는 서로 교류할 수 있는 기초가 있어야 하고, 다른 하나는 한 문화가 다른 문화생산에 영향을 미친다고 하였다. 그런데 한국 드라마는 유교문화儒敎文化를 갖고 있으면서도 표현은 현대적이고 세련되게 잘한다는 점이 강조되고 있고, 한국의 유행가 가사는 청년들이 성장하는 과정에서 겪는 번뇌와 우려, 쓰고 달콤한 정감, 생활 중에 조급하게 돌아다니거나 곤란하여 어쩔 줄 모르는 것을 묘사하고 있기 때문에 한류가 일어났다고 본다.

2001년 중국청년보에 게재된 기사에서 "한류가 일본을 가라앉힐 수 있을까?"라면서 일본의 역사교과서 왜곡에 대한 한국의 항의 내용을 다룰 때, 한류는 한국의 유행 엔터테인먼트를 지칭하는 것에서 '한국' 혹은 '한국문화' 그 자체를 통칭하는 대명사로 사용하게 되었다.

2005년 <대장금大長今>이 중국에 방영된 이후, 한류의 성격은 한국문화 전반에 대한 관심과 부러움으로 변하기 시작하였다. 게다가 중국에 방송되는 외화 중 약 80%가 한국 드라마이다 보니 중국에서는 한류에 대한 저항이 나타나기 시작하였다.

중국에서 일고 있는 '반한류反韓流' 현상은 중국의 문화산업보호정책과도 관련이 있다. 특히 중국 정부가 제도적으로 제약을 가하고 있는데, 중국국가공전총국과 관영 CCTV는 2006년 초부터 한국 드라마의 수입과 방송규제를 강화하였다. 한국에서 중국 드라마를 규제하고 있으니 중국에서 한국 드라마를 규제하는 것은 당연하다는 것이다.

중국에서 한류를 주도하고 있는 한국의 대중문화는 드라마와 대중가요이다. 중국인들은 드라마에서 한국의 사회문화에 대한 전반적인 정보를 얻고 있으며, 특히 중국 젊은 계층은 한국을 배우기 위해 한국으로 유학을 오는 사례가 많아지고 있다.

HOT　　　　　　클론　　　　사랑이 뭐길래　　　대장금

　　한편 중국 내 한류가 지속적으로 주목을 받는 이유는 우선, 중국
인들의 소득 증가로 인한 중산층 형성에서 비롯된 문화적 욕구 증가
때문이라 할 수 있다. 현지 문화가 중국인들의 사회·경제적 성장과
국제적 지위 향상의 속도를 따라가지 못하는 것이다. 또한 한국의
우수한 문화콘텐츠를 활용한 한류 마케팅 활동도 한몫한 것으로 평
가된다. 같은 아시아권이기 때문에 느껴지는 동질감도 중국에서의
한류 열풍을 더해주고 있다. 중국인들에게 서구 문화콘텐츠는 단순
히 '다른 나라의 문화와 사람 이야기'지만, 한국 문화콘텐츠에 담긴
가치와 주제는 상대적으로 '동감할 수 있는 이야기'로 느껴질 수 있
다. 동시에 한류 스타들도 모방하기 쉬운 상대로 인식하는 경향이
있다. 이는 결국 탈脫서구화 현상으로 귀결된다. 과거 중국의 많은
젊은 층으로부터 사랑을 받았던 팝송, 할리우드 영화 등 미국 문화
의 인기가 크게 떨어지게 된 것도 이러한 현상의 일환으로 해석될
수도 있다. 한편 일본 문화 콘텐츠도 중국에서 인기를 끄는 것도 사
실이다. 그러나 우리나라가 일본에 비해 유리한 점은 중국인의 반일
反日 감정도 작용한 듯하다.
　　한류 스타들의 매력도 큰 이유 중 하나다. 조사에 따르면, 중국인

들은 한류 스타들에 대해 아름답고 세련됐으며, 친근하다고 생각한다. K-Pop의 인기도 스타의 외형적 매력성이 크게 작용하는 것으로 지적되고 있다. 한류 스타를 모방한 패션과 헤어 디자인이 크게 인기를 끌고, 최근 크게 늘어난 한국으로의 원정 성형수술도 이에 기인한 현상으로 평가된다.

이와 함께 인터넷 방송의 확산도 큰 역할을 하고 있다. 대표적인 예로 2000년대 중반 이후 중국 정부의 드라마 수입제한조치로 한국 드라마의 인기가 다소 주춤한 적이 있다. 그러나 공중파 대신 인터넷 방송을 통해 한국 드라마의 시청이 다시 늘어났고 그 결과 10~20대의 젊은 시청자가 대폭 증가하는 계기가 되었다.

한류의 파생효과

한류를 통한 효과는 이미 다양한 분야를 통해 입증되고 있다. 국가 이미지 쇄신은 물론 우리나라에 대한 관심과 이해도 향상 및 경제적인 효과 또한 크다. 국가 이미지는 해당 국가의 방송 보도, 드라마, 영화, 광고 등과 같은 간접적인 경험과 해당 국가로의 여행, 해당 국민과의 만남, 해당 국가의 제품 경험과 같은 직접적인 경험을 통해 형성된다. 현재 중국인들은 한국 드라마나 영화, 음악 등을 보고, 듣고, 또 스타들을 만나기 위해 직접 한국으로 여행을 오거나 혹은 한국인들과 교류를 하고, 한국 제품을 사용하는 등 직간접적으로 한국을 알아가고 있다. 최근 한류 연구에서 한국 드라마와 한류 스타에 대한 호감도가 높은 중국인은 우리나라에 대해 호의적인 이미지를 갖고 있는 것으로 나타난 바 있다.

중국인의 한국에 대한 관심도가 증대됨에 따라 한국어에 대한 관심도 높아졌다. 1992년 한·중 수교 당시 한국어 강의가 개설된 학교가 5개에 불과한 것에 비해 현재는 200개가 넘는 학교에서 한국어를 가르치고 있다. 중국인 관광객도 크게 늘었다. 특히 중국인의 원정 성형이 확산되고 있는데, 2011년 중국 주재 한국 대사관에서 발급한 성형의료관광 비자 건수가 1,073건으로 전년도에 비해 약 4배가량 늘었다.

이와 함께 한류는 한국 제품에 대한 중국인의 호감도를 높이는 데 긍정적이며 중국 내 한국 제품의 매출 확대에도 기여하고 있다. 지난해 오리온 초코파이의 중국 내 매출은 한국에서의 매출과 비슷한 수준이었으며, 파리바게트, 놀부 등도 빠른 매출 신장세를 보이고 있다. 한류는 한국의 뷰티 사업에도 큰 영향을 미치고 있다. 우리나라 화장품이 중국 여성 사이에 큰 인기를 끌고 있으며, 우리나라를 방문하는 중국 관광객들의 쇼핑 품목 1위가 화장품일 정도다. 이와 같이 한류는 다양한 연구에서 그 효과가 입증되고 있다. 이에 따라 한국 기업들은 한류에 의해 형성된 호의적 이미지를 마케팅 수단으로 활용하고 있다. 특히 한류 스타를 모델로 사용하는 한류 마케팅이 활발하게 추진되고 있다.

이러한 효과를 통해 한국의 이미지가 향상되고, 향상된 국가 이미지가 한국 제품의 이미지로 전이된다. 동시에 기업들이 한류를 주제로 하는 한류 마케팅을 추진하는 경우, 한류에 의해 형성된 호감도가 한국 제품 이미지로 이어질 수 있다. 특히 한류 스타에 대한 호감도는 감정 전이를 통해 한국 제품에 대한 호감도로 연결될 수 있다. 감정 전이란 마케팅 학문에서 기존에 형성된 감정이나 태도가 다른 대치물對置物에 전이되는 현상을 의미한다.

한편 한류 스타가 국가 이미지와 한국 제품 이미지에 미치는 효과
가 한류 문화콘텐츠의 효과보다 크다는 주장이 제기되고 있다. 일련
의 실증적인 연구 결과에서도 한류 스타의 효과를 입증하고 있다.
이에 따라 한국 기업들은 현재 한류 스타들을 모델로 기용해 적극적
인 한류 마케팅 전략을 펼치고 있다. 물론 반드시 한류 스타를 활용
한 마케팅을 펼칠 필요는 없다. 이미 형성된 한국에 대한 호의적인
이미지가 제품에 대한 호감도 형성에 영향을 미칠 수 있기 때문이
다. 그러나 한국적 가치를 포함한 제품 또는 한국 기업의 정체성은
명확하게 표현해야 긍정적인 효과를 기대할 수 있다.

인천국제공항에 도착한 중국 관광객

백화점에서 화장품 구매하는 중국 관광객

북경 파리바게트

한류의 한계와 개선방안

1990년대 말부터 시작되었던 중국의 한류는 당시 많은 사람들이 우려했던 것과는 달리 오히려 더욱 발전되는 경향을 보였다. 특히 중국에서 방영되었던 드라마 <대장금>의 인기는 한류의 새로운 반향을 가져왔다. 기존의 중국에서 한류 주역은 신세대풍의 음악과 트렌디 드라마였다. 이들은 한국적 감성에 서구화와 현대화를 가미한 것으로서 어느 정도는 국제적인 트렌디를 지닌 것이었다. 이들 상품 속에서 한국만의 문화를 찾으라고 한다면 그리 쉽지는 않다. 따라서 중국에서 일어난 한류에 대한 평가는 대체적으로 서구문화의 본격적 수입에 앞선 과도기적 산물로 보는 시각이 강했다. 그래서인지 한류에 대한 중국의 우려는 그다지 높지 않았다.

그러나 2005년 9월부터 호남湖南 위성 TV에 <대장금>이 방영되면서 한류의 변화의 바람이 불기 시작했다. 기존의 한류가 한국적이지만 중국인들이 동경했던 경제적으로 풍요한 서구화된 현대적 대중문화의 확산을 가져왔다면 대장금은 한국 고유문화의 확산을 가져오고 있기 때문이었다. 한국의 역사, 한국의 의상, 한국의 음식 등 한국 고유의 문화가 선풍적인 인기를 구가하면서 2005년 중국은 한국문화의 신드롬에 빠져들었다. 결혼식에서 한국의 전통한복이 등장했고 중국 다처에서 대장금이란 간판을 내건 한국식당이 큰 인기를 끌었다. 게다가 절강성 항주 인근 춘안현淳安縣 치바오七寶 소학교가 재정난 등으로 폐교 위기에 처해 있었을 때, 이영애가 2006년도에 이 학교에 5만 달러를 기부한 이후 이 학교는 '이영애소학교'라고 학교 명칭을 바꾸었다. 이처럼 한류 스타들이 중국 여러 지역에 기부를 하는 사례는 더욱 많아졌다.

치바오七寶 소학교에 기증하는 이영애

　이런 흐름은 한국의 전통문화에 대한 중국인의 관심을 고조시키면서 한국에 대한 보다 깊이 있는 이해를 촉진한 것이다. 또한 대장금을 통한 한국 고유문화의 확산은 한국인들에게도 한국의 문화에 대한 자신감과 긍지를 가져다주었던 것도 사실이다.

　그러나 2005 하반기 대장금의 선풍적인 인기와 더불어 중국이 보는 한류에 대한 시각이 점점 변화되었다. 그리고 그것은 반한류反韓流로 표출되었다. 단순히 서구문화의 혼용물로서 1980년대 홍콩과 대만, 1990년대 초반의 일본의 대중문화처럼 한때 반짝하던 과도기적 증상으로만 여겼던 한류가 대장금을 필두로 증폭되었다. 이는 중국 사회가 경계심과 위기의식을 느끼고 있음을 반증하는 것이기도 하다. 중국이 문화적 대국으로서의 역사적 위치를 공고히 하고 있을 때를 시대적 배경으로 삼고 있는 대장금을 통해서 당시 주변 문화였던 한국 문화가 중국에 역수입되어서 유행하다 보니, 문화대국을 자부하던 중국의 자존심에 영향을 주었다. 즉, 중국은 자국보다 문화적 변방으로 여겨왔던 한국이 경제발전을 통해 서구화되고 현대화된 오락문화가 중국으로 유입되는 것에 중국인들의 자존심이 손상되었다고 여겼다. 이러한 인식 속에 중국인들은 자신들의 문화를 발전시켜야 한다는 목소리가 높아졌고 중국 문화에 대한 열정이 높아지기 시작하였다. 게다가 2006년 중국 정부는 자국 문화산업을 보호하기 위해 한국 드라마 수입제한조치 정책을 펼친 바 있다.

그 때문에 반한류 정서 확산을 막기 위해서는 과도한 민족주의적 콘텐츠와 문화우월주의적 내용은 지양해야 한다. 또 왜곡을 일으킬 수 있는 내용은 면밀한 역사적 고증과 균형 잡힌 검증이 필요하다. 무엇보다 호혜적인 관점에서 문화를 상호 이해하고 존중하는 노력이 중요하다.

중국 내 한류 확산을 지속시키기 위해서는 정부, 기업, 국민 모두의 노력이 필요하다. 우선 정부 차원에서 한류를 우리의 중요한 국가브랜드 자산임을 명확하게 인식해야 한다. 한류가 우리나라 국가 이미지와 함께 우리 기업과 제품의 이미지에 큰 영향을 끼칠 수 있기 때문이다. 특히 정부는 반한류 정서를 조기에 탐지해 차단하는 적극적인 관리체계를 구축하고 가동해야 한다.

국민들도 지나친 민족주의 그리고 문화우월주의를 경계하고, 상대방의 문화를 이해하고 존중하는 개방적 태도가 필요하다. 모처럼 형성된 호의적인 한류 그리고 그에 따른 우리의 국가 이미지 그리고 제품, 나아가 우리의 국제적인 위상에 미치는 효과를 향유하기 위해 우리 모두의 노력이 필요함을 인식해야 할 것이다.

12장

중국 TV 드라마의 초고속 성장

중국 최초의 드라마인 1958년 작품 <야채떡 한 입(一口菜饼子)>이 방영된 이후, 중국 드라마는 50년이 지난 지금까지 계속해서 발전의 길을 걸어왔다. 처음 20년 동안 드라마는 단순한 정치적 선전도구라는 이미지가 강했지만, 그 후 30년 동안 서서히 대중문화의 한 축으로서 그 자리매김을 해오면서, 드라마 제작에 있어 상업적 면모를 갖추었다. 특히 1991년 베이징TV예술센터에서 제작한 <편집부 이야기>가 광고를 통해 수익을 얻고 기업들의 협찬을 받으면서, 중국 드라마의 시장화, 산업화의 속도는 점차 빨라지고 있으며, 수지를 겨우 맞추면 드라마 시장도 흑자의 길로 돌아설 수 있게 되었다.

중국의 산업화 행보는 드라마 업계의 신속한 발전에 견인차가 되었다. 거대한 사회적 역량과 자금이 드라마 시장에 유입되면서 2001년에는 432개에 불과하던 드라마 제작사 수가 2007년에는 6년 사이에 무려 여섯 배에 가까운 2,511개 업체로 늘어났다. 2007년에는 529편이나 되는 드라마가 제작되었고, 전국적으로 매일 평균 40회가량의 드라마가 제작되고 있다. 이는 세계 최고의 기록이다. 중국은 이미 세계 제1의 드라마 생산국이자 방영국이라는 명실상부한 타이틀을 거머쥐었다.

본문에서는 중국 TV 드라마의 현황과 특징, 그리고 전망에 대해 소개하고자 한다.

중국의 TV 드라마 발전과정

중국에서 텔레비전 드라마가 최초로 방영된 시기는 1958년도였다. 그리고 1966년 문화대혁명이 발발할 때까지 중앙 텔레비전 방송국과 각 지방방송국은 약 100여 개의 드라마를 방송하였다. 하지만 문화대혁명 기간 동안에는 드라마제작이 거의 없었고, 문화대혁명이 끝난 뒤인 1977년에 와서야 비로소 다시 제작되기 시작하였다. 중국의 텔레비전 드라마는 1980년대 홍콩에서 수입되기 시작하면서 본격적인 TV 드라마 교류가 이루어지기 시작했다. 1980년대에는 해외에서 중국으로 드라마들이 대거 들어왔다. 그런데 1989년 6월 천안문사건이 발생하자 중국 정부는 CNN뉴스를 중단시켰다. 천안문에서 발생한 민주화운동이 중국 내에 소개되는 것을 막기 위함이었고, 당시 중국 사회의 안정을 위한 조치로 볼 수 있다.

한편 1990년대까지는 중국 내에서 제작하는 프로그램이 부족하였기 때문에 대부분 수입한 드라마에 의존하였다. 이 시기에도 홍콩과 대만에서 만든 드라마가 중국에서 방영되었고, 중국인들로부터 많은 사랑을 받았다. 이런 분위기 속에서 중국 국가광전총국은 국산 드라마의 발전을 촉진시키기 위해서, 드라마 수입의 주체, 수입드라마의 수량, 생산지, 제제 등을 한정하고 점점 해외드라마의 수입과 방영을 통제했다. 당시 국가광전총국의 해외드라마의 수입과 방영에 관한 주요 법규를 살펴보면 다음과 같다.

첫째, 1994년 2월에 선포된 '외국 TV 프로그램의 수입과 방송에 관한 관리규정'은 각 방송국이 매일 방영하는 각 프로그램에서 외국 드라마는 드라마 총 방영시간의 25%를 넘어서는 안 된다. 특히 황금시간대인 저녁 6시에서 밤 10시까지는 15%를 초과해서는 안 된다고 규정지었다.

둘째, 2000년 1월에 선포된 '성급 방송국 프로그램 채널 관리업무 강화에 관한 통지'에서는 저녁 6시에서 밤 10시까지의 시간에 방영하는 수입드라마의 비율은 반드시 15% 이내로 제한한다. 그중 저녁 7시에서 밤 9시 30분까지의 시간에는 광전총국이 방영을 허가한 수입드라마 외에 수입드라마를 방영해서는 안 되었다. 모든 TV가 같은 것을 보여주는 상황을 피하기 위해서 같은 수입드라마 역시 3개 이상의 상성 프로그램 채널에서 방영해서는 안 된다고 하였다.

셋째, 2000년 6월에 선포한 'TV 드라마 관리규정'에서는 방송국은 매일 방영하는 각 프로그램에서 수입드라마는 드라마 총 방영시간의 25%를 초과해서는 안 된다. 그중 황금시간대인 저녁 6시에서 밤 10시 사이에는 15%를 초과해서는 안 된다고 하였다.

현재 중국에는 이미 3억 대의 TV와 9억여 명의 시청자를 보유하고 있고, 현재 중국의 드라마는 갈수록 다른 나라 시청자들의 환영을 받고 있으며, 이로 인하여 많은 드라마가 일본과 동남아 여러 나라에 방송된 후 좋은 반응을 불러일으키고 있다.

TV 드라마는 내용 전개와 방영 시간이 영화보다 훨씬 탄력성이 있어 1~2집이나 몇 10집, 심지어 100집 이상까지 만들 수 있을 뿐만 아니라 극장까지 갈 필요 없이 집 안에서 볼 수 있기 때문에 매우 편리하다. TV 드라마의 발전은 영화예술의 세계를 확대시키고 사람들의 문화생활을 풍부하게 해줌과 동시에 영화의 강력한 라이벌이 되어 영화산업에 위기를 가져다주었다. 이렇게 어려운 상황에도 불구하고 중국의 영화계는 더욱 큰 진보와 혁신을 통하여 비교적 많은 관중을 쟁취하고 있다.

그리고 현재 중국에는 20여 개의 각종 영화 제작소가 있고 TV 방송국이 각 성省과 시市에 모두 있는데, 이곳에서 매년 100여 편의 극영화와 수천 편의 TV 드라마를 제작하고 있다. 영화와 TV 드라마의 창작을 촉진시키기 위해서 관련 부처에서는 정기적으로 우수 영화와 TV 드라마 시상식을 거행하고 있다. 중국에서 영화 인재를 전문적으로 양성하는 대학은 북경영화학원北京電影學院이다. 이 학교는 개교 40년 이래로 영화계에 많은 인재를 배출하여 '중국영화 예술가의 요람(中國電影家)'으로 불린다. 중국은 국산 영화 외에도 문화교류를 통하여 계획적으로 대량의 외국영화와 TV 드라마를 도입하여 더빙하였다. 우리나라의 드라마 중에서도 <사랑이 뭐길래>, <별은 내 가슴에>, <가을동화>, <여름연가>, <대장금> 등이 중국에서 가장 인기를 끈 드라마였다.

중국 드라마의 현황과 전망

다른 나라에 비해 중국 드라마는 출발이 비교적 늦은 편이다. 중국 최초의 텔레비전 방송국인 북경TV(현재의 중앙TV)가 1958년 5월 10일 창설되었으며, 그해 6월 15일 여기에서 중국 최초의 드라마

<야채빵 한 입>을 방송하였다.

이후 중국의 드라마 발전은 무협물로 발전하게 되었다. 중국의 CCTV는 최근 40부작 무협드라마 <소오강호笑傲江湖>를 제작·편성하는 등 장편 무협작품을 드라마 시리즈물로 제작하기 시작했다. 이에 대해 무협드라마 방송이 사회주의 역사인식과 청소년들에게 부정적인 영향을 미칠 것으로 보는 문예계 일부에서 CCTV가 시청률을 의식한 방송편성을 시작했다는 비판의 목소리가 나오고 있다.

약 13억 명의 인구인 중국은 한족이 절대다수를 차지하는 56개 다민족 국가이다. 따라서 중국에서 고전문학 작품과 역사물의 TV 방송 드라마 제작은 전통문화의 현대적 해석이라는 의미 외에, TV 영상을 통한 국가이념과 정치적 가치관 형성에 밀접하게 관계하고 있다.

전통소설을 각색한 고전소설 픽션극, 우리의 대하 역사 드라마와 같이 중국의 역사적 사건과 인물을 TV 드라마로 각색한 역사극, 그리고 전통문화를 배경으로 하는 장편 픽션 드라마가 대표적인 중국 TV 방송의 시대극이다. 최근까지도 중국인들에게 역사와 시대극은 단순한 오락물이 아니었다. 역사에 대한 해석이었다. 그래서인지 역사와 전통문화를 소재로 하는 CCTV의 대형 드라마에 대한 해석은 광범위한 사회적 관심을 끌어왔다. 그 변화를 살펴볼 때 시대변화와 정치 메커니즘이 어떻게 한 작품에 대한 수용에 영향을 미치는가 하는 대목이 눈길을 끈다.

(1) 1980~1990년대 드라마 특징

1976년 문화대혁명이 끝나고 덩샤오핑의 개혁개방정책이 시작되고 있던 1980년대 초, 중국인들에게 큰 감동을 주었던 드라마가 일본의 북경 침공 역사와 그 속에서 전변하는 인간의 운명을 묘사한 CCTV의 <사세동당四世同堂>이었다. 라오서老舍의 3부작 장편소설을 각색한 것으로, 지금까지도 중국 TV 드라마의 걸작으로 꼽히며 TV 장편 드라마의 성공을 알리는 서막이었다. 소인물을 통해 대역사를 서술하는 중국 전통소설 서사방식의 TV 영상 버전인 셈이다.

1980년대 당시 중국 학술계와 문예계의 문화논쟁은 개혁개방 후 들어오는 서구문화와 경제상품을 놓고 내적으로는 전통과 현대, 외적으로는 서구와 중국의 문제를 어떻게 해결해 볼 것인가 하는 중국의 모더니티(예술 사조로서의 모더니즘에 드러나는 근대적인 특징이나 성향)의 고민이었다. 따라서 1980년대 중국 TV 방송계에 나타난 장사오린張紹林 현상도 이러한 사회적 분위기에 비추어보면 우연한 사건이 아니었다. 감독 장사오린, 편집 스링石零, 제작 장지쫑張紀中이 중심이 된 드라마 제작팀이 1980년대 중반 이후 근 7년 동안 제작한 7편의 CCTV 드라마가 전무후무한 시청률을 올리며 중국 TV 방송 드라마를 이끈 대중문화 현상을 말한다. 그런데 이 장사오린의 작품이 모두 전통과 현대의식의 융합을 시도하고 있어 당시 시대 분위기를 잘 반영하고 있었다.

풍부한 자원과 체계로 대형 TV 드라마 제작의 중심에 있는 CCTV 는 1980년대 중반 이후 중국 4대 고전소설의 드라마 제작에 나서, 1986년 그 첫 작품인 <서유기西遊記>는 2000년 다시 제작되어 절찬리에 방송되었다. 또한 근대 이후 중국 학술계와 문예계에서 '홍학紅學'이라고 불리는 청대 고전소설 『홍루몽紅樓夢』 해석을 둘러싼 논쟁은 이 소설이 1987년 드라마로 제작 방송되면서 다시 점화되기도 했다.

1991년부터 3~4년여에 걸쳐 84부작으로 제작·방송된 <삼국연의三國演義>는 규모로서는 건국 이후 초대형 드라마였다. 중원 회복의 대통일 역사의식을 드러낸 이 드라마는 인물의 형상을 놓고 각 계층의 다양한 의견과 비판 제기로, 영화 텍스트와 더불어 개혁개방 후 점차 대중소비문화 속으로 진입한 중국 사회에 큰 파문을 일으키기도 했다.

　　이어 1998년 CCTV를 통해 방송된 드라마 <수호전水滸傳>은 당시 시청률 44%의 기록적인 수치로 중국 시청자의 폭발적인 인기를 끌었다. 광대한 시청인구를 가진 중국 TV 문화의 스펙터클을 보여주었을 뿐 아니라, 국내 문예계와 일반인의 큰 반향을 일으킨 수호전 판본과 그 사상성에 대한 대논쟁을 일으켰다. CCTV가 대본의 판본으로 삼은 시내암, 나관중 저작의 100회 본 <충의수호전>은 70회 본과 120회 본의 수호지水滸誌에 비해 두드러지게 송강의 인물형상과 수호의 인물들이 권력에 대한 반항정신이 희석되어 결국 봉건세력에 의해 비참한 최후를 맞는 것으로 끝을 맺고 있다. 이것이 논쟁을 일으킨 것이다. 이 100회 본 판본은 소설 『수호전』이 보여주는 정신과 거리가 멀어 농민혁명 봉기의 원작 정신을 왜곡시켰다는 일부 학자들과 연구자들의 강력한 반대에 부딪혔다. 당시 연일 매스컴과 지면을 점철하며 사회적 논쟁을 일으켜, 양산박의 고향 산동지방에서는 새롭게 수호지를 제작하자는 주장도 나타났다. 여기에는 혁명 중의 마오쩌둥이 가장 애독한 책으로 알려진 수호지 해석을 놓고 그동안 침묵을 지켜왔던 수호지에 대한 자유로운 해석이 방송 드라마의 작품 해석을 통해 살아난 것이다.

(2) 21세기 드라마 특징

1980년대 이래 <홍루몽>, <삼국지>, <서유기> 등을 제작한 CCTV의 국민오락 픽션드라마의 전략은 전통문화에 대한 영상적 해석과 상업적 요구 등과 얽혀 중국 TV 대중문화 수용의 중요한 계기를 이루고 있다. 따라서 근래 CCTV에서 불고 있는 무협 드라마 붐은 CCTV의 고전 드라마 제작 대상 폭이 고전 장편소설에서 무협소설로 확대된 것으로 이해할 수 있다.

CCTV의 무협 드라마 제작은 <와호장룡臥虎藏龍>에 대한 서구의 찬사와 맞물려 중국 관객의 주목을 끌었고, 타 방송사 역시 무협 드라마 제작이 연이어지고 있다. 그 가운데 <소오강호笑傲江湖>는 특히 주목을 받고 절찬리에 방송되었다. 그것은 중국인들에게 가장 널리 읽히고 있는 김용金庸(1924년 절강성 출신으로 중국 무협소설작가이며 언론인이다)의 작품에 대한 CCTV의 첫 무협 드라마 제작이라는 점 때문에 더욱 그러했다.

<소오강호>의 연출은 중견 4세대 영화감독인 황지엔쭝黃建中이 맡았다. 자국 영화시장이 침체하면서 기존의 영화감독들이 TV 드라마를 제작하며 영화계와 TV가 합류하는 것이 한 현상으로 자리 잡아가고 있다. 장편 무협 드라마의 출현은 더 이상 대만과 홍콩지역의 무협물에 무협시장을 빼앗기지 않겠다는 방송시장 전략을 분명히 하고 있고, 국내 시장이 확고한 드라마 제작에 영화감독들의 데뷔가 연이어지고 있는 최근 방송계 현상을 반영한다.

김용은 장편 12편, 단편 3편을 썼으며, 그 판매 부수가 모두 합쳐 1억 부를 넘었다. 대륙을 넘나들며 가슴을 뛰게 하는 장대한 협객 이야기에, 송·금·원·명·청 등 실제 역사와 동양철학이 절묘하게

버무려진다. 생생한 캐릭터 묘사는 모든 무협작가 가운데 으뜸이다. 대표작은 <사조영웅전射鵰英雄傳>, <신조협려神雕俠侶>, <의천도룡기倚天屠龍記>, <천룡팔부天龍八部>, <녹정기鹿鼎記>, <소오강호笑傲江湖> 등이다. 해적판까지 포함하면 훨씬 웃돌 것이다.

중국에서는 그의 작품을 연구하는 '김학金學'이 있을 정도다. 미국에서도 그의 작품은 대학 교재에 실리고 각종 토론회가 열리기도 했다. 중국, 대만, 홍콩 등에서 김용 작품을 원작으로 한 수많은 영화와 드라마가 만들어졌다. 지금도 계속 만들어지고 있다.

우리나라 케이블 무협액션채널 ABO에서도 <천룡팔부>(2003, 40부작), <사조영웅전>(2004, 42부작), <신조협려>(2006, 40부작)를 방송하였다. 앞에 두 작품은 불법 복제물로 국내에 미리 상륙하기도 했으나, 공식적으로는 처음 소개되었다. 반면, <신조협려>도 잇따라 방영되었다.

미래 드라마 산업 발전방향 및 과제

많은 변화를 겪으며 발전하고 있는 중국 드라마 산업이 새로운 도약을 하기 위해서는 아직 몇 가지 난제들이 존재한다는 것이 대체적인 인식이다. 이러한 과제에 대해 정책적, 산업적, 제작 측면에서 구체적으로 살펴보고자 한다.

(1) 정책적 측면

중국의 경우 드라마 산업은 여전히 정부의 관리를 많이 받고 있는 편이다. 정부의 정책은 지속적인 드라마 산업 발전에 있어, 특히 어떠한 장르의 드라마가 제작되고 유통될 수 있는지의 여부에 있어 실제적으로 매우 중요한 역할을 하고 있으며, 이러한 구조는 가까운 시일 안에 쉽게 바뀔 가능성은 그다지 높지 않다. 또한 향후 드라마 산업구조 역시 정부 주도적인 성격을 유지하게 될 것으로 보인다. 따라서 중국의 드라마 산업 발전 가능성 여부에는 정부 정책의 적절성이 크게 작용한다. 업계 내에서는 명확하고 공평하며 질서 있는 시장경쟁을 위해서는 드라마 산업 정책수립이 선결과제로 처리되어야 한다고 밝히고 있다.

업계 내에서는 드라마 산업 발전을 위해 정부가 몇 가지 정책을 제시해야 한다는 의견이 제기되고 있다. 우선 방송국 자체 제작 프로그램과 드라마의 방영 비율을 규정해야 하고, 방송국이 드라마 제작 관련 자본을 확대하여야 한다는 주장이다. 또한 드라마 제작에 대한 자본유입 범위를 더욱 확대하여 방송 계통 이외의 자본, 더 나아가 외국 자본이 자유롭게 유입될 수 있도록 해야 한다는 주장이다.

한편 중국 정부가 드라마 지원기금을 확충하여 우선적으로 사회적으로 긍정적인 반향을 일으킨 드라마 제작사를 후원하도록 해야 한다는 의견도 있다. 구체적으로는 드라마 방영으로 창출된 광고수입의 일정 비율을 드라마 제작과 구매에 재투자하도록 규정해야 한다는 의견도 있다. 그러나 방송 시스템의 관리 체제에 한계가 있기 때문에 이 정책을 집행하는 데 있어서는 관리감독의 어려움이 비교적 클 것으로 예상된다.

(2) 산업적 측면

산업적 측면에 있어, 뉴미디어 방송 루트 확충, 해외시장 개발과 관련 상품 시장 개발 등을 포함한 드라마 산업 구조 각 영역의 경계를 허물어야 한다는 점이 지적되고 있다. 제작자들은 과거 80% 이상의 수입을 중국 국내 방송국으로부터 창출하였으며, 5~10%의 수입은 OST·DVD 판매로부터 나온다는 사고방식을 가지고 있었다. 하지만 뉴미디어의 출현과 더불어 산업구조는 재편되고 있으며, 종사자들은 전통적인 생각에서 벗어나야 한다는 것을 깨닫고 있다. 드라마 방영 루트는 방송국 이외에도 디지털 TV나 휴대폰 TV, 인터넷 채널 등 새로운 매체를 선택할 수 있다. 이와 더불어 여러 국가를 포용할 수 있는 소재를 선택하거나 국제적인 배우를 기용하여 해외시장을 개척하는 방안도 제시되고 있다. 이를 통해 외국 드라마 제작사 및 콘텐츠의 직접유입에 대한 장벽을 피하고, 동시에 해외진출 목표를 실현한다는 것이다. 그러나 해외 제작사와의 연합제작을 위해서는 해결해야 할 과제가 적지 않아 신중하게 접근해야 할 것이다.

(3) 제작 측면

제작 측면에 있어, 제작사는 반드시 경쟁 능력의 향상을 통해 지속적인 발전 기초를 다져야 한다. 구체적으로 자본조합 능력, 브랜드 창조 능력, 새로운 제작방식 창조 능력, 그리고 제작비용 조절 능력 등을 꼽을 수 있다. 드라마 제작사의 브랜드 창조 능력은 완성도 높은 내용과 작품의 시리즈화를 통해 이루어진다. 이 밖에도 드라마 제작 과정에 있어 전통적인 '감독 중심 체제'가 '작가 중심 체제'로 바뀌어야 한다는 주장도 일고 있다.

이와 같이 중국 TV 드라마 산업이 당면한 문제의 범위는 매우 넓다. 중국 드라마의 이중적 기능인 '정책 대변자의 기능'과 '시장 참여자의 기능'이라는 다원적인 성격은 그 문제점을 더욱 가중시키기도 한다. 결국 이러한 복잡한 구조를 적절히 이해하여 어느 한쪽으로도 치우치지 않는 전략을 펼칠 줄 아는 제작사와 방송국만이 중국에서 진정한 승리자가 될 수 있으며, 아울러 중국 TV 드라마 산업을 더욱 발전시킬 수 있다.

13장

중국 영화의 도입과 발전

1896년 8월 11일, 상해의 '우일촌又一村'에서 공연하는 오락프로그램 사이에 외국에서 들여온 영화를 상영하였는데, 이 영화가 중국에서 방영된 최초의 기록이다. 이는 1895년 12월 28일 영화가 탄생한 지 불과 반 년 정도가 지난 시기였다. 중국인들은 그것을 '서양영희西洋影戱(서양 그림자극)' 혹은 '전광영희電光影戱'라고 불렀다. 이후에는 '영희影戱'라고 통일해서 불렀다. 그리고 1897년 9월 5일 상해에서 출간된 『유희보』에 실린 「관미국영희기觀美國影戱記」라는 글에서 는 방영된 영화의 줄거리와 작자의 관람 뒤의 느낌을 상세하게 적었다. 이 글은 오늘날 중국 최초의 영화비평문이다.

최초의 중국 영화는 1905년 북경풍태北京豊泰 사진관에서 촬영한 <정군산定軍山>이었다. 이 영화는 북경 오페라의 한 장면을 필름에 찍은 단편이다. 극영화 형식을 제대로 갖춘 첫 영화는 상해에서 1916년에 만든 <고통받는 연안>이었다.

초창기의 중국 영화는 경극이라는 연극의 전통과 서구영화의 영향이 뒤범벅된 상태였고, 1920년대의 영화 경향은 도피주의라고 일컬어지는 오락물 중심이었다. 1922년부터 1926년까지 중국 전 지역에 문을 연 영화사가 175개가 있었고, 상해에만 145개가 있었다. 많은 영화사가 출현함으로 해서 중국 영화의 첫 번째 강성시기를 이루었다.

1930년대의 중국 영화는 영화미학에 눈을 뜬다. 그래서 본격적인 영화의 시작은 1930년대부터라고 할 수 있다. 특히 1932년 좌익영화 운동이 시작되면서 중국 영화는 매우 빠르게 성장하였다. 그러나 중일전쟁 발발로 인해 다소 위축되기도 하였다. 항일전쟁 과정에서 많은 영화인들은 항일운동에 참가하기도 하였지만 일부 영화인들은 홍콩으로 이주함으로써 이후 홍콩 영화발전에 커다란 역할을 하였다.

신중국이 건국한 이후 중국의 대중문화는 소련이나 동부유럽과의 교류활동 이외에는 뚜렷한 교류가 없었다. 1980년대 개혁개방 정책은 중국 대중문화산업의 발전을 가져다주었다. 홍콩, 대만, 일본에서 만든 문화상품 중 정치적 의미가 담기지 않은 것들이 중국으로 유입되었고, 이는 중국의 출판, 영화, 드라마, 대중음악 등 중국의 대중문화발전에 중요한 영향을 주었다.

이 시기에 점점 다른 나라와의 교류가 시작되는데, '항대港臺'라고 불리는 단어는 홍콩香港과 대만臺灣의 합성어로서 홍콩과 대만의 대중문화가 개혁개방 초기의 중국 대중문화에 많은 영향을 주었다. 그러나 중국과 대만의 갈등은 대중문화의 교류에도 직접적인 영향을 주었는데, 영화나 드라마의 주제는 대체적으로 역사극, 무협 혹은 남녀 간의 사랑 등으로 한정되었다.

근래 중국에서는 외국과의 영화합작 사업이 증가하고 있는데, 이는 중국 정부가 정책적으로 지원하고 있기 때문인데, 이러한 정부 차원에서의 지원은 중국 정부가 대중문화를 하나의 문화산업으로 간주하였다는 것을 입증하는 것이다.

그러나 중국에 영화가 유입되어 초기 상해를 중심으로 발전할 때 중국의 영화산업은 거의 서양세력에 잠식되어 있었다. 중국 정부는 영화의 선전효과와 산업적인 수익을 알고 난 이후부터 내수 영화시장을 되찾고, 보호하기 위해 영화산업을 지속적으로 정부의 통제 아래 두며 관리 감독했다.

1978년 개혁개방, 그리고 1993년의 제1차 시장화 개혁 이후에도 침체국면을 면치 못했던 중국 영화산업은 산업화와 시장화 개혁이 본격화된 2003년을 전후해서 급속히 성장하기 시작했다. 중국 정부와 영화계는 WTO에 의한 영화시장 개방 이후부터 폭발적인 성장세를 보여주고 있다.

다음은 중국 영화의 발전과정을 세대별로 감독을 중심으로 설명하고, 중국 영화에서의 한류에 대해 소개하고자 한다.

중국 영화감독 세대분류

중국에서는 영화감독을 세대별로 구분한다. 현재 1세대부터 5세대까지로 구분하고 있는데, 최근 활동하는 감독들은 5.5세대 또는 6세대로 부르기도 한다. '대代'의 구분은 '제5세대第五代'의 등장과 관련이 있다. 즉, 북경전영학원北京電影學院 78학번을 5세대로 지칭하면서부터, 그 외의 감독들을 몇 세대로 분류하고 구분하기 시작하였다.

제1세대는 1905년에서 1930년대에 활동한 감독이고, 제2세대는 1930년에서 1949년 사이에 좌익영화운동을 하였으며, 제3세대는 중국 건국 이후의 제1세대를 칭한다. 제4세대는 문혁文革 이전에 북경전영학원을 졸업한 학생들이 주체가 되어 활동하는 그룹이었다.

(1) 제1세대 감독

제1세대 감독은 중국 영화의 개척자들로서 1905년에서 1930년대
에 주로 활동하였다. 제1세대 감독은 약 100여 명이 되는데, 주요 감
독은 장스촨張石川, 정정치우鄭正秋, 단두위但杜宇, 양샤오중楊小仲, 샤오쥐웡
邵醉翁 등이다.

이들은 중국영화의 선구자로서, 매우 척박한 영화촬영 조건과 영
화제작 경험이 거의 없는 상황에서도 많은 영화를 창작하였다. 이
시기의 영화는 대체적으로 5·4신문화운동의 영향을 받았고, 반봉
건적인 민주사상을 다루고 있다. 이들의 특징은 전통적인 희극관념
으로써 영화를 만들었다는 점이다.

제1세대 감독 중 장스촨과 정정치우는 중국의 최초 단편영화인 <난
부난처難夫難妻>와 최초의 장편영화인 <흑적원혼黑籍冤魂>, 최초의 유성
영화인 <가녀홍모단歌女紅牡丹>, 최초의 무협영화인 <화소홍련사火燒紅
連寺>를 만들었다.

난부난처難夫難妻　　　　　　　　　　화소홍련사火燒紅連寺

가녀홍모단歌女紅牡丹

(2) 제2세대 감독

제2세대 감독은 1930~1940년대에 활동하였다. 1930년대 이후 항일전쟁과 국공 내전 등을 경험한 세대로서, 민족주의 정신이 강하게 나타난다. 제2세대 감독들은 중국 영화를 무성극에서 유성극으로 전환시켰고, 가장 커다란 업적은 중국 영화가 단순한 오락에서 벗어나서 비교적 심오한 사회생활을 반영하기 시작하였다는 점이다.

예술적으로 보면, 2세대 감독들의 특징은 사실주의寫實主義이다. 이들은 점차적으로 영화예술의 기본적인 규율을 만들기 시작하였다. 대표적인 감독은 차이추성蔡楚生, 정쥔리鄭君里, 페이무費穆, 우용강吳永剛, 상후桑弧, 탕샤오단湯曉丹 등이다. 차이추성의 대표작은 <어광곡漁光曲>과 <일강춘수향동류-江春水向東流>이다. 이 두 영화는 1930~1940년대의 중국산 영화 중에서 가장 높은 수준이라 할 수 있다.

한편 좌익영화운동左翼電影運動은 중국 제2세대 감독의 활약기에 나타나는데, 좌익영화운동을 또 신흥영화운동新興電影運動이라고도 부른다. 대표적인 작품은 우용강의 <신녀神女>, 샤옌夏衍의 <춘천春蚕>, 페이무의 <성시지아城市之夜>, 쑨위孫瑜의 <대로大路>, 주시린朱席麟의 <자모곡慈母曲>, 스동산史東山의 <여인女人>, 차이추성의 <어광곡> 및 션시링

어광곡漁光曲   일강춘수향동류-江春水向東流

沈西爷과 위앤무지袁牧之의 <도이겁挑李劫> 등이다. 당시에는 만萬씨 형제의 만화영화인 <구정탐拘頂探>과 <저항低抗>이 있는데, 형식상으로는 1930년대 일본 만화영화의 영향을 받았다.

(3) 제3세대 감독

제3세대 감독은 건국 이후 활동하였으며, 사회주의적 및 사실주의적 색채가 강하다. 영화를 제작할 때 주로 민간 이야기를 많이 다루었고, 회화적이며 시적 정서가 두드러진다. 제3세대 감독 중에는 청인成蔭, 수이화水華, 추이외이崔鬼, 시에티에리謝鐵麗, 시에진謝晉 등이 유명하다. 이들 감독은 현실주의적 관점에서 생활의 본질을 나타내고자 하였다. 이들은 영화에서 시대를 반영하고 사회모순을 표현하고자 노력하였다. 또한 민족풍격, 지방특색, 예술적 함의 등을 나타내고자 하였다.

제3세대 감독의 활약 시기는 다시 3단계로 나눌 수 있는데, 제1단계는 1949년 중국 건국부터 1965년 문화대혁명이 발발하기 이전이다.

이 단계에서는 중국 영화의 작품으로는 청인의 <남정북전南征北戰>, 수이화의 <백모녀白毛女>, 추이외이의 <청춘지가靑春之歌>, 시에티에리의 <조춘이월早春二月>, 시에진의 <여감오호女監五號> 등이 있다. 이 시기에 제3세대 감독이 형성되었다. 제2단계는 1966년부터 1976년까지로 문화대혁명 기간에 해당되며, 중국 영화의 정체시기에 속한다. <창업創業>과 <해하海霞>, <섬섬적홍성閃閃的紅星> 등을 제외하고는 대체적으로 줄거리가 별로 없다. 제3단계는 문화대혁명이 끝난 시기이다.

백모녀白毛女   조춘이월早春二月

섬섬적홍성閃閃的紅星

(4) 제4세대 감독

제4세대 감독은 제5세대 감독들과 동시대 감독으로 분류된다. 왜냐하면 제4세대 영화인의 대다수는 문혁 이전에 북경전영학원을 졸업한 사람들이기 때문이다. 이 시기의 주요 감독은 시에페이謝飛, 정동티엔鄭洞天, 장누완신張暖忻, 황지엔黃建 등이 있고, 대표적인 작품은 장누완신의 <사구沙鷗>, 정동티엔과 쉬구밍徐谷明의 <인거隣居>, 우이궁吳貽弓의 <성남구사城南舊事> 등이 있다.

그들은 졸업 후에 문화대혁명을 접하게 되었고, 그들의 창작활동은 1978년에야 비로소 시작되었다. 1966년 문화대혁명이 발발하면서 1965년에 43편에 달하였던 영화제작 편수가 1966년에는 12편으로 줄어들었고, 1967년부터 1969년까지는 한 편의 영화도 제작되지 않았다.

시대적 한계 때문에 제4세대 감독들은 소련 이외의 영화를 접할 기회가 없었다. 그러나 문화대혁명이 끝난 뒤 이들의 창작활동은 중국 영화의 부흥을 가져왔다. 농촌은 점점 제4세대의 작품의 중심소재가 되었고, 이들이 농촌을 중국 사회의 축소판으로 삼아서 표현한 수법은 제5세대 감독들에게 영향을 주었다. 그러나 이들 중청년 감독들은 결국 문화대혁명에 의해 한창 활동해야 할 나이에 활동을 하지 못하였고, 그들이 '잃어버린 청춘'을 되찾으려고 할 때, 제5세대 감독들이 중국 영화 무대의 전면에 등장하였다. 그래서 이들을 '불후한 세대'라 부르기도 한다.

사구沙鷗   성남구사城南舊事

(5) 제5세대 감독

제5세대 감독은 1980년대 북경전영학원을 졸업한 젊은 감독들이다. 이들은 소년시대에 문화대혁명을 경험하였고, 어떤 사람들은 하방下放(산골 벽지로 쫓겨남)을 당한 경험이 있고, 어떤 사람들은 군인이 되기도 하였다. 개혁개방시대에 그들은 전문적인 훈련을 받았고, 새로운 열정을 갖고 영화계에 들어섰다.

1983년, 북경전영학원의 78학번 졸업생들이 광서영화제작사에서 '청년섭제조青年攝制組'를 설립하였고, <일개화팔개一個和八個>를 만들었다. 그들은 이 하나의 팔목할 만한 창작집단을 발족하여 작품을 만들게 되는데, 1984년에 천카이거陳凱歌에 의해 만들어진 <황토지黃土地>가 대표작이다. 이 영화는 중국 영화계에 충격을 주었고, 세계의 관심을 받았다. '제5세대第五代'라는 이름은 이렇게 하여 붙여지게 되었다.

제5세대 감독들의 작품은 주관성, 상징성, 풍자성이 특히 강하였다. 이들 감독은 비록 숫자는 적더라도 중국 영화계에 커다란 충격과 영향을 주었다. 주요 감독들은 천카이거, 장이머우張藝謀, 우쯔뉴吳子牛, 티엔주앙주앙田壯壯, 황젠신黃建新 등이다. 이 중 천카이거 감독의 <패왕별희霸王別姬>와 장이머우 감독의 <붉은 수수밭紅高粱>·<인생活着>·<귀주이야기>·<책상서랍 속의 동화一个都不能少> 등의 영화들은 세계적으로도 매우 유명한 작품성이 뛰어난 작품들이다.

1990년대 이후, 제5세대 감독들은 과거의 변두리에서 현재의 중심이 되었고, 낮은 계층에서 상류로 올라간 이유로 인해 관념의 책임성, 예술의 창조성을 잃어버렸다. 게다가 생명과 생활의 신선한 경험을 잃어버렸다. 이런 시점에 영화창작활동을 하던 젊은 사람들이 중국에서 나타나기 시작하였다. 그들은 제5세대 감독들에 의해 영화계가 독점되던 시기에 새로운 출로를 모색하였다. 중국 영화를 새롭게 결속시키기 위해서 시대적 사명을 어깨에 짊어진 사람들이 바로 중국 영화의 제6세대이다.

일개화팔개一個和八個   황토지黃土地   패왕별희霸王別姬

붉은 수수밭   인생   책상서랍 속의 동화

紅高粱   活着   一个都不能少

(6) 제6세대 감독

제6세대 감독들 대부분은 1960년 혹은 1970년대에 태어났다. 1980년
대에 북경전영학원과 중앙희극학원中央戲劇學院에서 교육을 받았으며,
1990년대에 두각을 보인 사람들이다. 이들의 사상의 성장, 기본적인
예술사상과 정치이념은 1980년대에 성장하였기 때문에, 그들의 사상
과 예술취미는 1980년대의 유산이다. 이것이 제5세대와 근본적으로
다른 점이다.

주요 감독들은 장위엔張元, 장양張揚, 우원광吳文光, 허젠쥔何建軍, 관후管
虎, 왕루이王瑞 등이다. 그들이 중심이 된 주변 유사한 청년영화인들
을 하나로 묶는다. 따라서 '제6세대'라는 말은 단지 시공의 의미로
서의 집합체이고, 문화자태, 창작풍격에서 서로 일치한 1990년대에
형성된 선각자, 책임성, 청춘성을 갖고 활동한 집단이다.

1990년 장위엔의 <마마媽媽>를 시작으로 하여, 자신들만의 영화를
만들기 시작하였다. 후쉬에양胡雪楊의 <류수녀사留守女士>, 장위엔의 <북

경잡종北京雜種>, 관후의 <두발난료頭髮亂了>, 루쉐창의 <장대성인長大成人> 등의 작품이 대표적이다. 제6세대 감독의 영화에는 로큰롤(Rock and Roll)을 하는 사람, 예술가, 동성연애, 창녀 등 관심을 받지 못하던 주변 사람들을 영화에 담았다. 그리고 혼란한 감정의 분규, 망망한 추구, 자질구레한 묘사와 속어와 비어의 대사를 통해 도시청년의 성장 이야기를 묘사하였다. 한편 제6세대 감독들의 일부는 6·4천안문사건으로 인해 지하활동을 하게 되는데, 그래서 이들에 의한 영화를 '지하전영地下電影', 즉 '언더그라운드 영화'라고도 한다.

류수녀사留守女士　　　　　　북경잡종北京雜種

영화에서의 한류

중국과 홍콩, 타이완 세 지역에서 1990년대 후반부터 일기 시작한 한류는 주로 가요와 드라마 분야에서 일어났으며, 영화 분야와 무관하게 진행되어 왔다. 물론 드라마에서 뜬 스타가 출연하는 것을 계기로 영화를 수입하기도 하는 등 긍정적인 영향을 끼치기는 했다.

그러다가 2001년에 <엽기적인 그녀>가 등장하면서 한국 영화에 대한 시각이 달라지기 시작했다. 이 영화가 수용된 양태는 세 지역의 영화산업의 현황과도 밀접하게 연관되어 흥미롭다. 2002년 <엽기적인 그녀>가 홍콩에서 개봉하면서 비슷한 시기에 중국어 자막이 들어간 불법 DVD가 중국과 타이완에서 발매되었다. 이 영화는 홍콩에서는 1,400만 홍콩달러라는 성적을 올리며 흥행에 성공했으나, 정식으로 개봉하지 못한 중국에서는 불법 DVD만 불티나게 팔렸다. 타이완에서는 불법 DVD가 이미 발매되고 많은 사람이 본 뒤에 입소문이 좋게 나면서 뒤늦게 극장 개봉에서도 1,100만 타이완달러를 기록하며 한국 영화 최초로 1,000만 타이완달러를 넘기는 흥행성적을 기록하는 이변을 보여주었다.

한국 영화의 인기는 1999년에 개봉한 <쉬리>가 히트한 홍콩에서부터 시작된다. 그 직전에 개봉한 <8월의 크리스마스>가 영화 팬들 사이에서 잔잔한 인기를 모은 뒤, <쉬리>가 상업적으로 성공하면서 한국 영화의 붐이 일어난 것이다. 그 뒤 1997년과 1998년에 홍콩에서 단 한 편도 개봉하지 못한 한국 영화는 2001년 17편, 2002년 22편, 2003년 18편, 2004년 13편 등으로 꾸준히 상영됐다. 그러나 2002년에 최고점에 다다른 뒤부터 한국 영화는 조로의 움직임을 보이고 있다. <태극기 휘날리며, 2003>·<올드보이, 2003> 등 기대작이 큰 성과를 거두지 못한 것이다.

중국에서는 처음에는 드라마 스타가 등장하는 영화들을 주로 수입했다. 1998년에 수입하여 개봉한 <결혼이야기, 1992>는 1997년에 중국에서 크게 히트한 드라마 <사랑이 뭐길래>의 주인공 최민수가 주연인 점이 크게 작용했다. 그 뒤 안재욱이 출연한 <찜, 1998>·<키스할까요, 1998>, 김희선·장동건 주연의 <패자부활전, 1997>

등이 소규모로 상영되었으나, 이렇다 할 흥행성적을 기록하지 못했다. 한국 영화의 붐은 엉뚱하게도 불법 DVD에서 시작된다. 2002년 <엽기적인 그녀>가 폭발적 인기를 누리면서 한국 영화에 대한 관심이 증가했고, 그리하여 한국 영화는 미국 영화 다음으로 인기 있는 외국영화로 떠올랐다. 그러나 그 뒤에 극장에서 정식으로 개봉한 <무사, 2001>, <클래식, 2003>, <내 여자친구를 소개합니다, 2004> 등의 흥행성적은 그다지 좋지 않았다. 그렇지만 워낙 한국 영화를 좋아하는 팬 층이 넓은 데다 소규모일지라도 극장에서 개봉하는 사례가 늘어나고 있기는 하다.

그렇다면 앞으로 한국 영화는 언제쯤 중국에서 제대로 상영될 수 있을까. 우선은 중국 내부의 법규와 제도에 대해 파악하고 거기에 맞는 돌파구를 찾아야 한다. 중국은 외부에서 진입하기 위해 뛰어넘어야 할 장벽이 높기 때문에 직접 수출하는 것도 중요하지만, 합작과 합자를 위한 제작사를 설립하여 자국 영화처럼 대접받을 수 있는 영화를 제작하고 극장에서 상영하거나 영화채널을 통해 방영하는 등의 방식을 다양화할 필요가 있다.

또한 한국 영화의 중국으로의 수출을 더욱 확대하려면, 중국 내부의 정책을 개선하는 것과 밀접한 연관이 있다. 특히 등급제를 신설하는 등의 정책을 통해 소재나 주제에 대한 수용 범위가 넓어지는 것이 한국 영화로서 매우 중요하며, 이 문제만 해결된다면 한국 영화가 중국에 수출되어 상영될 가능성은 매우 높다.

14장

중국의 대중가요

중화인민공화국이 건국되기 이전의 중국에서의 대중음악은 1908년 상해에서 프랑스인에 의해 음반사가 설립된 이래로 대체적으로 미국이나 일본의 자본들이 당시의 음반시장을 지배하고 있었다.

신중국 건국 이후 중국의 대중음악은 해외에서 커다란 호응을 얻으며 인기를 누리지만, 문화대혁명을 거치는 과정에서 중국의 음반시장은 커다란 타격을 입는다. 개혁개방 이후 홍콩과 대만의 영향을 받은 대중음악은 중국인들에게 많은 사랑을 받았고, 특히 1990년대에 들어와서는 서구의 록음악이 중국 젊은이들로부터 사랑을 받았다.

중국에서는 1990년대부터 외국과의 대중문화교류가 활발하게 이루어지기도 하지만, 약간의 제한을 받았다. 당시 외국의 대중음악이나 영화가 중국으로 유입되기 위해서는 정부기관이 발행하는 허가증을 가지고 있는 단위가 정부의 심사절차를 거쳐 수입해야 했다.

현재 중국어권 대중음악이 사랑받는 지역은 아시아 전 지역이라 해도 과언이 아니다. 크게 나눠 홍콩, 대만, 대륙 그리고 동남아시아로 나눠지지만, 우리나라와 일본에서도 중국어 대중음악 음반이 발매되고 있으며, 비단 중국학과 학생들뿐 아니라 중국 붐과 함께 일반인들도 상당수 중국의 대중가요를 즐기고 있다.

다음은 중국 대중가요의 발전과정과 최근 중국의 대중음악시장 동향 및 중국 대중가요시장의 특징에 대해 소개하고자 한다.

중국 대중가요의 발전과정

중국 대중음악의 창시자로 알려진 리진후이李錦輝가 1927년에 창작한 <毛毛雨(가랑비)>란 노래가 중국 최초의 대중음악이라고 할 수 있다. 대중성, 통속성, 상업성, 비정치성 등을 대중가요의 일반적인 속성이라고 볼 수 있는데, 따라 부르기 쉬운 멜로디에, 상업사회 출근족들의 입맛에 맞게 만들어져, 레코드와 축음기를 통한 음악 전파로 개개인의 오락 공간을 점유하면서 정치 이데올로기의 개입 없이, 일정기간 유행했다가 사라진 노래들은 최초의 대중음악이라고 할 수 있다.

그 후로 유사한 성격의 대중가요들이 쏟아져 나오고, 1930~1940년대 개방도시 상해 등을 중심으로 유행하게 된다. 그러다가 1949년 공산정부 수립 이후 대중가요가 종적을 감추게 되고, 1976~1978년 과도기를 거쳐 개혁개방의 물결 속에서 대중가요가 다시 나타나 혁명가요의 틈바구니 속에서 가쁜 숨을 내쉬며 발버둥 치게 된다. 다만 공산 정부의 주도세력들은 대중가요의 속성을 비판하며 배척하였기 때문에, 상당 기간(1990년대 중반 이전까지) 중국 대중음악의 발전은 억압되었으며, 그에 따라 중국 대륙 대중음악의 수준은 발전하기 힘들었다.

1992년 시장경제의 도입으로 인해, 대중음악은 점차로 산업과 오락으로서 존재 가치를 인정받게 되고, 홍콩·대만과 서구·일본으로부터의 모방 속에서 차츰 기반을 마련해나가게 된다. '헤이바오그룹黑豹樂隊' 등 대륙의 록그룹이 1991년 대만의 록 레코드에서 앨범을 발표하여 큰 인기를 누리고, 1992년부터 이에 자극을 받아 광주廣州에서 스타 시스템을 도입하면서 산업형식의 대중음악이 점차 토대를 구축하게 된다.

그러다가 1990년대 말부터 개혁개방을 통한 경제발전과 산업화의 지속, 소비층의 확산, 문화적 전 지구화의 경향이 중국에서도 음악의 산업화, 다양화, 상품화를 앞당김으로써, 다양한 음악상품 개발 및 생산과 문화 피드백을 통한 문화산업 부흥은 중국에서도 이미 거스를 수 없는 흐름이 되었다.

시대를 통해 살펴본 중국 대중음악은 1930~1940년대의 반식민 시기, 1950년대부터 개혁개방(1978) 이전까지의 사회주의 혁명 계승발전기, 개혁개방 이후부터 1990년대 중반까지의 문화개방과 문화개혁의 혼돈기, 1990년대 후반 이후부터 현재까지의 세계화와 중국 특색의 대중음악 발전기에 이르기까지, 정치경제의 격변과 궤를 같이하여 왔음을 알 수 있다. 또한 중국의 대중음악은 이와 같은 격변 속에서 사회주의 및 전통 유가문화의 잔재, 대중매체의 정치 및 상업적 기능, 상업의 발전과 오락적 수요의 배가, 이데올로기 및 사회심리의 다양화 등 풍성한 소재들과 엮여왔음을 알 수 있다.

중국은 음악에 있어서 전통적으로 발라드(대중음악에서 감상적 곡조에 사랑을 주제로 한 서정적인 노래)가 상당한 비중을 차지한다. 우리나라에서는 여름에 댄스곡이 인기를 끌고, 가을에는 발라드 음악이 인기를 얻는 것처럼 계절에 따라 그리고 유행에 따라 음악장르의 주도권이 쉽게 바뀐다. 하지만 정도의 차이는 있을지라도 중국에서 발라드의 인기는 독특하리만큼 강하다. 그만큼 중국인들의 정서에는 애잔하고 심금을 울리는 멜로디와 가사가 어필하는 것이다. 음반 차트의 노래를 들어보면 특별히 가수들의 맑고 깨끗한 목소리에 중국 전통악기 '얼후=胡'의 음이 더해진 애잔한 곡이 항상 절반 가량 된다.

그러나 중국에서 누리는 발라드 인기가 중국인의 정서에 부합하기 때문이라는 설명만으로는 뭔가 부족하다. 일반적으로 중국에서 대중가요가 자리 잡은 것은 등려군鄧麗君 등이 활동했던 1980년대와 4대 천왕을 대표로 하는 1990년대로 본다.

4대 천왕은 곽부성郭富城, 유덕화劉德華, 장학우張學友, 여명黎明으로 그들이 부른 노래는 중국의 대중가요를 대표해왔다. 오늘날에도 이들은 여전히 왕성한 활동을 하고 있는데, 이는 그들 자체가 상품화되어 사람들에게 각인되어 있기 때문이다. 현재 중국 대중가요의 수용자 층을 볼 때 큰 비중을 차지하는 층이 30대라고 한다. 이들은 바로 4대 천왕이 활동하던 시기의 중고생으로 지금 실질적 구매자의 한 축을 이루고 있다. 따라서 이들의 발라드 편애 성향이 대체적으로 중국 대중가요를 발라드로 치우치게 하는 데 큰 역할을 하고 있다. 4대 천왕의 뒤를 이은 대표적인 발라드의 황제는 장신저張信哲이다.

등려군鄧麗君　　　　곽부성郭富城　　　　류덕화劉德華

장학우張學友　　　　여명黎明　　　　장신저張信哲

　　이렇게 발라드가 중국 대중가요의 커다란 한 부분을 차지하는 데
이어 만만찮게 비중을 차지하는 또 다른 장르가 록(Rock)이다. 중국
에서 록은 비교적 역사가 짧다고 할 수 있는데, 1989년 천안문사건
때 시위대가 최건崔健의 노래를 부른 이후, 중국에는 Beyond 등과 같
은 록 그룹들이 많이 생겨났다. 이처럼 중국 록의 역사는 천안문사건
에서부터 시작되었기 때문에, 그것은 억압적 사회에 대한 사람들의

비판 혹은 갈망이 폭발적인 록을 매개로 표현된 것이라 볼 수 있다.

중국 사회의 급격한 변화의 물결 속에 중국 젊은이들이 방송을 통해 흘러나오는 외국음악에 익숙해지면서 록음악도 1993년 록세트(Roxette)의 공연이 성황리에 끝나는 등 중국의 대중가요에 있어서 굵은 줄기를 차지하게 되었다. 대표적인 중국의 록 가수나 그룹으로는 두유寶帷, 장초張楚, 하용何勇, 당조唐朝, Beyoned 등이 있으며, 흑표黑豹, 오백伍佰, 초재악대超載樂隊, 왕용王勇 등도 큰 명성을 얻고 있다.

중국 음악계는 발라드와 록 두 장르가 여전히 큰 비중을 차지하고 있지만 많이 달라지고 있다. 외국에서 들어온 다양한 음악이 중국인의 기호를 바꾸고 있는 것이다. 힙합이라든지, R&B, 또 요즘 '한류'라 불리는 한국 음악, 일본 음악 등이 이제 중국의 주류 음악 장르를 세분화시키고 있다.

그 외 대중음악이라고 하면 주류 음악인 팝이나, 록, 힙합 등을 떠올리지만 월드뮤직도 나름대로 자기 자리를 잡고 있다. 특히 뉴에이지 성향과 맞물리면서 월드뮤직은 그 나름의 의미를 찾고 있다.

중국의 지아펑팡賈鵬芳은 중국의 대표적인 악기인 '얼후=胡'를 연주하는 연주자다. 특히 서양에 불고 있는 선禪사상과 맞물리면서 그의 음악에 대한 관심이 커지고 있다. 대부분의 아시아 출신 뉴에이지 뮤지션들이 피아노나 기타 등을 통해 아시아적 감성을 표현하는 데 반해 지아펑팡은 중국 전통악기로 아시아적 감성을 표현해 더욱 눈길을 끌고 있는 것이다.

중국 대중음악시장의 동향

(1) 음반과 비디오시장의 개방

중국은 세계무역기구 가입을 촉진시키기 위해 엔터테인먼트 분야에 대한 외국자본 투자 문호를 더 개방할 것이라고 중국의 문화부장이 밝혔다. 외국 기업은 또 합작사를 통해 이들 제품을 중국 소매상들에게 유통시킬 수도 있다고 덧붙였다.

외국 기업은 그간 연간 600억 위안(73억 달러) 규모인 중국 음반, 비디오시장에 진출하기 위해 아무리 지분이 적더라도 중국 기업과 합작사를 설립할 수 없도록 규제되어 왔다. 이 조치가 취해지면 외국 음반, 비디오 체인점이 중국에 진출할 수 있게 된다면서 그간 중국의 음반, 비디오시장을 영세 업체들이 나눠 가져온 상황에서 불법복제 등이 기승을 부리고 있음을 강조했다. 중국 당국이 음반, 비디오 불법복제를 단속하고 있음을 상기시키면서 이것이 중국 업체는 물론 외국 회사에도 이익이 되는 것이라고 강조했다.

(2) 젊은이들을 사로잡는 한류韓流와 한국 대중음악

지금 중국을 비롯한 아시아의 젊은이들은 빠른 음악과 격렬한 춤 동작, 열정적이면서 청량음료와 같이 시원한 한국의 댄스그룹에 열광하고 강렬한 색채의 한국 드라마에 푹 빠져 한국 문화의 소비주체로 떠오르고 있다.

'한류'란 최근 몇 년 사이 중국, 타이완, 베트남, 홍콩 등 동남아시아 청소년들 사이에서 번지고 있는 한국 대중문화(음악, 드라마, 영화, 패션 등)의 돌풍을 의미한다.

1999년 11월 클론과 2000년 HOT의 베이징 콘서트 대성공으로 인해 중국 언론에 한국 문화와 한국 마니아를 뜻하는 '한류'와 '합한족哈韓族'이라는 신조어가 생기게 되었다. 경제적인 측면에서도 콘텐츠로 대표되는 신경제의 활성화가 제시되고 있는 상황에서, 한류는 이미 여러 가지 부가가치를 창출해내고 있고, 앞으로도 더욱더 많은 부가가치를 낼 수 있다는 점에서 주목을 받고 있다.

　　최근 한국 대중음악 가수들이 전 중화권에서 최고의 인기를 얻게 된 배경에는, 1980년대 이후부터 중국어로 번안된 많은 한국 가요들이 이 지역에서 불리면서 많은 중국인들의 귀에 한국 음악이 익숙해졌기 때문이다. 장국영張國榮의 '친구여(愛在深秋)', '손에 손잡고(心手相連)' 등과 1990년대 말 한국의 빠른 댄스음악들이 번안되어 좋은 호응을 얻자 한국 가수들은 대형 콘서트 개최를 통해 중화권에 진출하기 시작하였다.

　　최근 중국에는 한국 음악만을 소개하는 라디오방송 프로그램 '서울음악실(音樂室, 1997년 시작)', 그리고 여러 차례의 한국 가수 콘서트를 계기로 한류가 '폭발'하기 시작했다. 한국 대중 스타가 중국인에게 준 영향은 '난 송승헌이 아니야(我不是宋承憲, 2006)'라는 노래에서도 알 수 있다.

　　한류는 각 지역에 따라 약간의 차이가 있는데, 대만은 드라마가, 중국은 10대 청소년들을 사로잡고 있는 댄스그룹들의 음악이, 홍콩은 영화에서 커다란 성과를 올렸다.

중국 대중가요시장의 특징

(1) 불법복제음반의 대량 유통

현재 중국에서 팔리고 있는 불법복제음반 및 영상물의 판매량이 합법적인 제품 판매량의 15배가 넘으며, 중국 내에서 유통되는 음반 중 90%가량이 불법복제음반으로 추정되고 있는 만큼, 불법복제음반은 중국 음반 문화의 최대의 골칫거리라 할 수 있다. 심지어 정품임을 증명하는 '정판正版'이라는 스티커가 붙어 있는 제품들 중에도 불법복제음반이 태반이며, 유명할인상점이나 백화점에서조차 아무런 거리낌 없이 팔려나가고 있다. 이는 홍콩도 마찬가지이며, 대만에서는 최상의 복제기술을 이용하여 '정품과 구별이 안 가는' 해적판을 만들어내고 있다.

이 같은 현상의 원인을 찾아보자면, 우선 확연한 가격의 차이를 들 수 있다. CD의 경우, 수입정품과 불법복제음반의 가격 차는 최고 10배에 달하기 때문에, 동네의 작은 레코드 가게에서는 값비싼 수입정품은 아예 갖다놓지도 않는 실정이다. 또 하나 불법복제음반의 매력이라고 할 수 있는 것은 일명 '끼워주기 곡'으로, 정품에 수록된 곡들 이외에 이전 히트곡들을 더 수록해서 팔고 있다. 특히 대만에서는 초등학생조차도 불법복제음반 산업에 쉽게 접할 수 있을 정도로 인터넷과 통신망을 통한 판매활로가 활짝 열려 있다.

이 같은 불법복제음반의 난무 현상에 대처하기 위해 홍콩과 대만의 각 음반사는 연합으로 광고를 제작하는 등의 노력을 기울였으나 그다지 효과를 보지 못했다. 이에 음반사들이 택한 자구책은 가격을 내리기보다는 오히려 고품격화를 통한 차별화였다. 즉, 위에서 이미

본 것처럼 정품을 구입하면 달력, 미니사진첩, 엽서세트 등을 끼워 준다거나 이벤트에 응모하거나, 콘서트 티켓 혹은 값비싼 자동차나 전자제품 등의 상품을 탈 수 있는 기회를 제공하는 것이다. 그러나 중국 대륙은 불법복제음반에 대한 대응과 실제 효과는 거의 거두지 못하고 있다.

(2) 인터넷 음반 밀수와 지적 재산권의 보호

인터넷을 통해 국경을 넘나들며 활동하는 음반 밀수업자들이 증가하는 가운데 중국에서는 2000년 3월, 수입 음반과 비디오의 온라인 거래를 금지하고, 외국투자기업이 시청각 상품을 인터넷으로 판매하는 것을 강력히 제재하기로 하는 법안을 발표했다. 이 같은 법안이 발표된 후, 실제로 인민최고법원은 2001년 국제음반연맹 회원사인 차이나 레코드, 소니뮤직, 유니버설뮤직, 워너뮤직 등의 사이트에서 불법으로 MP3 파일을 불법으로 다운로드 받도록 연결한 혐의로 제소당한 북경의 My Web에 대해 최근 저작권 침해 판결을 내렸으며, 또한 법원은 같은 혐의로 피소된 광주廣州의 텍슨 사이트에 대해서는 현재 심리를 진행 중이다. 인민최고법원 지적재산권분과知識産權審判庭의 주임판사는 이 같은 판결에 대해 "급속도로 발전하는 중국의 인터넷산업을 감안, 사이버 공간에서 일어나는 저작권 침해에 대한 규제를 강화할 필요가 있다"고 밝혀 중국 법원의 인터넷 저작권 보호 강화 움직임을 시사했다.

(3) 대륙 출신 스타의 부재와 인터넷 공략

중국 대중가요 시장의 특징 중의 하나로 중국 대륙 출신 스타의 부재를 들 수 있겠다. 이는 중국 사회의 정책에 의해 아직 자유로운 음악활동이 어렵기 때문인데, 중국에는 아직 사전검열 제도가 존재 (이 때문에 해적판 음반을 더욱 애용하게 된다)하며, 대륙의 가수들은 공연이나 방송출연의 기회가 적으며 여전히 노래에서 이념의 색깔을 지우지 못해 내용이 어렵고 공허하기 때문이다. 물론 록 가수인 최건, 하용, 장초 등의 경우 방송출연과 공연이 자유롭지 못한 상태에서도 공연할 때마다 폭발적인 인기를 모으기는 했지만 이는 어디까지나 공연장에서일 뿐이지 음반시장으로 연결되지는 않고 있다. 이 때문에 중국 대륙에서는 현재 다양한 장르의 음악이 존재하며 음반 판매량 역시 급속도로 증가하고는 있지만 결국 이러한 현상은 모두 홍콩, 대만, 구미歐美, 한국 등의 노래로 이어지고 마는 것이다. 이같은 현상에 대해 앞에서 밝힌 바와 같이 최근 인터넷을 통한 공략이 출구가 될 수 있을 듯하나, 이것이 실제로 성공할 수 있을지의 여부는 역시 두고 봐야 할 일일 것이다.

세계 최다 인구를 과시하고 있는 중국에서 해외로 빠져나간 중국인들은 서로 단합해 동남아 경제권에 상당한 영향력을 행사하고 있으며, 연예산업에 있어서도 결코 무시할 수 없는 위력을 보여주고 있다. 특히 싱가포르는 영어와 중국어가 공용어로 쓰일 만큼 국민의 대다수가 화교이며, 중국과 대만 음반시장의 거점지인 대만과 거의 경계선을 찾아볼 수 없을 정도로 중국어권 가수들이 절대적인 사랑을 받고 있다. 이런 현상 때문에 중국어권에서 어느 정도 고정적인 위치를 확보한 가수들은 소위 성마星馬 지역이라 불리는 싱가포르, 말레이시아 지역에서 홍보활동을 게을리할 수 없다. 따라서 순회콘서트 지역을 결정할 때에도 중국 대륙-홍콩-대만이 기본적인 1차

선택지라고 한다면 성마 지역은 콘서트가 보다 장기공연으로 추진될 때 반드시 추가되는 지역이다. 그 다음은 화교들이 비교적 많이 거주하고 있는 지역(미주, 캐나다, 유럽 공동권 등)으로 공연지가 확대되어 그야말로 '세계 순회 콘서트'라 할 만한 공연 일정이 결정되는 것이다.

이렇게 중국어권 가수들은 결코 한 지역에서만 인기를 끌 것을 생각하지 않고, 데뷔 때부터 여러 지역에서의 성공 가능성을 점친다. 그런 이유로, 홍콩 출신이면서도 보다 광범위한 활동지역으로 진출하기 위해 미리부터 국어음반시장을 노려 대만으로 건너와 데뷔를 하는 이들이 등장하고, 성마 지역에서 어느 정도 인기를 확보하고 대만으로 진출하는 가수들도 눈에 띄고 있다. 이처럼 성공하고자 하는 가수들이 대만으로 몰려드는 이유는, 요즘 대만에서 뜨면 중국어권 시장에서 반은 성공한 것이나 다름없다고 이야기될 만큼 대만 음악계에 여러 국가에서 들어오는 상품이 집결되고 있기 때문이다.

최근에는 대만 시장의 무한한 가능성을 인식한 비화교권 지역에서도 대만에서 음반 발표에 열을 올리고 있다. 이러한 지역으로는 대표적으로 태국과 한국을 꼽을 수 있는데, 위성채널인 채널 V를 통해 이 지역의 음악이 자연스럽게 중국어권 지역에 알려지게 되면서 얻게 된 지명도를 이용해 속속들이 자국 가수들을 홍보하는 데 힘쓰고 있다. 상황이 이렇게 되면서, 중국어권 가수들 역시 마케팅 전략을 바꿔 비화교권(한국, 일본 등)까지 깊숙이 파고드는 계획을 세우고 있다.

이 밖에도 인터넷 활용의 중요성이 날로 커져감에 따라, 동방매력東方魅力이라는 이름의 스타이스트(www.stareastnet.com)와 같은 웹사이트가 생겨나고 있다. 동방매력은 1999년 말 홍콩의 거물급 연예인들이 주축이 되어 설립한 것으로 50여 명의 홍콩 유명스타와 직접 투자, 계약을 맺어 그들의 활동기록을 전 세계에 송출하는 역할을 하고 있으며, 홍콩에 이어 대만에까지 연계 사이트를 개설하고 아시아 글로벌 체계를 목표로 분주히 사업자와 투자 대상을 물색하고 있다. 비단 동방매력뿐 아니라 최근 홍콩이나 대만에서는 엔터테인먼트 산업에 몸담고 있는 이들이라면 앞을 다투어 웹사이트를 만드는 데 촉각을 곤두세우고 있다.

2000년 중국이 세계무역기구 가입을 촉진시키기 위해 엔터테인먼트 분야에 대한 외국자본 투자 문호를 더 개방할 것임을 발표함으로써 중국의 음반산업은 세계시장과 보다 밀접한 관계를 형성하게 되었다.

중국의 음악시장, 그중에서도 대중가요 부분에서 중국은 현재 다국적 음악이 난무하고 있지만 머지않아 더욱 분명한 그들의 색깔을 찾게 될 것이다.

15장

중국의 방송광고

광고는 현대인이 가장 많이 접하는 것 가운데 하나이다. 우리는
일상에서 알게 모르게 갖가지 광고를 접하게 된다. 아침에 눈을 떠
서 처음 펼쳐든 신문에서나 길을 가다가 뿌려지는 전단지, 길거리
곳곳에 걸려 있는 간판이나 휴식을 위해 찾는 극장에서 우리는 여러
가지 광고를 접하게 된다. 그중 가장 많은 광고를 접하는 곳은 단연
TV나 라디오 같은 방송매체일 것이다.

광고는 자본주의사회의 필수적인 부산물이다. 현대사회가 이러한
광고의 바다를 이루게 된 것은 자본주의사회의 가장 큰 특징인 시장
이 형성되었기 때문이다. 이 시장에서 살아남기 위해서 기업들은 우
수한 제품을 생산해야만 한다. 하지만 그 우수한 생산물들을 어떻게
광고하느냐에 따라서 기업의 흥망이 좌우되는 것이 현대사회의 특
징이라 할 수 있겠다. 그래서 기업들은 매년 막대한 양의 돈을 광고
비에 지출하게 된다.

2005년 12월 중국 방송광고시장은 광고시장 전면 개방이라는 유
례없는 변화의 시기를 맞이하게 되었다. 광고시장 전면 개방 이후

중국의 방송 광고시장은 비약적인 발전을 거듭하고 있다.

중국 광고시장의 규모는 2005년 2,439억 위안(당해 평균 환율 적용 시 약 298억 달러)에서 2006년도에는 2,875억 위안(약 360억)으로 전년 대비 약 18% 증가하였다. 이는 중국이 미국과 일본에 이어 영국과 함께 세계 3위권의 광고시장으로 부상했음을 의미한다. 세계 각국의 경제와 광고시장이 호조를 보이지 못하고 있는 상황에서 중국의 최근 2~3년에 잇따른 비약적인 성장세를 거듭했다는 것은 가히 위협적이라 할 수 있을 것이다.

광고는 통상 대중문화로 불리는 사회의 문화상 그 자체를 보여준다. 광고를 통해서 우리는 대중이 지향하며 향유하고 있는 문화적 가치를 읽을 수 있다. 다음은 중국 광고시장의 특징과 방송광고에 대해 살펴보고자 한다.

중국 광고의 변천과 발전

중국 근대광고의 시작은 한국과 마찬가지로 서방 여러 나라에 대한 개항이 이루어진 뒤에 시작되었다. 그런 의미에서는 일본의 경우도 마찬가지이다. 한국, 중국, 일본 등 동양 3개국은 모두 19세기 중반 이후 개항과 함께 서양 문물을 받아들이면서 근대적 신문, 잡지가 나오고 아울러 광고가 발전하게 되었다.

1840년 아편전쟁에서 패한 중국은 홍콩, 마카오를 빼앗기고 여러 항구를 개항했다. 1911년에는 신해혁명으로 청국이 망하고 중화민국이 수립되었으나 그 뒤에는 내란이 1937년 중일전쟁 때까지 계속되었다. 1945년 8월 15일 일본 항복 이후에는 다시 계속된 내란에서 마오쩌둥毛澤東의 공산군이 승리하고 드디어 1949년 장제스蔣介石가 이끄는 국민당은 대만臺灣으로 물러갔고 중국 본토에는 중화인민공화국이 건국되었다. 그리고 얼마 안 가서 공산화된 중국에는 광고가 거의 사라지게 되었다. 게다가 1966년에서 1976년까지 10년간 세계를 떠들썩하게 한 '문화대혁명'은 중국의 광고를 말살하다시피 했다. 따라서 진정한 의미에서 중국에 현대적 광고가 부활한 것은 1976년 마오쩌둥이 사망하고 문화대혁명을 주도한 '4인방四人幫(1966~1976년 중국공산당 주석 마오쩌둥이 주도했던 문화대혁명 기간 중 가혹한 정책을 수행했다는 죄목으로 유죄판결을 받은 급진적인 정치 엘리트들의 핵심집단으로 마오쩌둥의 3번째 부인인 장칭江靑과 황홍원王洪文, 장춘차오張春橋, 야오원위안姚文元을 가리킨다)'이 제거되고 덩샤오핑이 집권한 뒤 대내적으로는 개혁, 대외적으로는 개방정책을 쓰게 된 뒤였다. 신문과 TV에 처음으로 광고가 게재, 방송된 것은 1979년이었다. 따라서 중국에 현대광고가 발전한 것은 지난 35년 남짓한 기간의 일이었는데, 이 기간 동안 중국의 광고는 천문학적인 성장을 이루었다.

광고의 놀라운 발전은 도시의 거리에서도 드러났다. 한마디로 신문, 잡지의 종류가 많아지고 면수가 늘어나고 컬러화되면서 부수가 늘어나고 있다. 라디오와 텔레비전은 광고 때문에 조금 '시끄럽게' 되었다. 다만 방송 시간이 늘고 프로그램이 다양해졌다. 이러한 겉모습뿐 아니라 매스컴의 내용에도 엄청난 변화가 일어나고 있다. 그리고 이러한 변화는 앞으로도 계속될 것이다.

1998년 한국과 중국의 교역량은 213억 달러였다. 2003년에는 이보다 3배가 늘어난 632억 달러였다. 중국은 미국 다음으로 한국의 둘째가는 무역 상대국이 되었다. 중국과의 무역에서 한국의 수출 흑자는 같은 기간에 87억 달러에서 230억 달러로 증가했다. 삼성과 엘지의 전자제품과 현대의 자동차, 그리고 그 밖에도 한국 제품 광고는 중국 매체에 심심치 않게 나타나고 있다.

중국의 광고시장은 1990년대 이후 평균 50% 이상의 급속한 성장을 거듭하여 2001년 인민폐 1천억 위안을 초과(한화 13조)하여, 향후 미국, 일본, 독일에 이어 세계 4대 광고시장으로 성장할 것이다. 지역별로 보면, 중국 정치와 문화의 중심지인 북경, 최근 대다수의 중국 및 다국적 기업의 마케팅 초점이 되고 있는 상해, 홍콩과 인접해 있어 해외경험과 선전광고지식, 기술습득이 용이하며 광고업계 종사자가 가장 많은 광동성 3개 지역이 중국 전체 광고시장의 51%를 차지하고 있으며, 그 밖에 연안지역인 강소성, 절강성, 산동성, 요녕성, 복건성, 천진 등도 커다란 광고시장으로 성장하고 있다.

중국 광고시장의 특징

중국광고연감에 따르면, 1999년도 중국의 광고회사는 37,000여 개, 광고업 종사자는 37만 명으로 조사되고 있다. 그러나 서비스의 질적인 면에서는 차이가 매우 커 현대적이고 과학적인 시스템을 통해 종합광고대행서비스를 할 수 있는 대행사는 한정되어 있다. 1967년 상해광고공사가 중국 최초의 광고회사로 설립된 이후, 1979년에 이르러서야 상업광고가 허용되었으며, 1994년 중국 제8차 전국인문대표회의에서 광고 대행제 법률시행이 공표됨으로써 국제적인 관례를 모델로 한 중국광고가 정상적으로 성장하기 시작했다.

이것은 기업의 광고활동이 광고회사를 통해 이루어질 수 있도록 규정하는 것으로, 이를 계기로 해외의 다국적 광고회사들이 합자기업의 형태로 다량 중국광고시장에 진출하여 매출액이 크게 성장했다. 이는 해외브랜드기업의 중국 내 광고활동이 크게 성장하였음을 나타내는 동시에 해외광고회사들이 중국기업을 대상으로 적극적인 광고영업을 추진하고 있음을 나타내고 있다. 다국적 광고회사에 이어 중국 내 8위권에 드는 중국대행사로는 중국광고연합총공사, 상해광고공사, 광주대행사가 있다.

중국광고협회에서는 2004년을 '중국광고년中國廣告年', 광고의 '국제화원년國際化元年'으로 규정하였다. 제39차 세계광고대회장에서 왕중푸王衆孚 국가공상행정관리총국 국장은 내년 말까지 광고시장을 전면 개방한다고 발표하였다. WTO협약에 따르면, 2004년부터 외국합자 광고회사의 경우 외국 회사 측에서 50% 이상의 지분을 확보할 수 있으며, 2006년부터 외국기업이 독자적으로 중국에 독립적인 광고회사를 설립할 수 있다.

중국의 광고 산업은 눈부신 경제성장과 함께 매년 비약적인 발전을 거듭하고 있다. 그 하나의 예가 『신경보新京報』 2005년 11월 11일자 창간 2주년 특집판이다. 이 특집판은 단행본의 두께에 버금가는 232면이었다. 이 신문이 창간 2주년 만에 어떻게 232면을 발행할 수 있었을까? 사실 중국에서 매체의 폭발은 새로운 일이 아니다. 북경에서 발행하는 『북경청년보北京靑年報』나 『신보晨報』 같은 조간은 물론이고 『만보晩報』 같은 석간의 발전 속도는 상상을 초월한다.

『신경보』의 232면 발행에서도 알 수 있듯 중국 매체성장의 배경에는 광고가 있다. 『신경보』 특집판에서도 광고가 120면을 차지했다. 광고가 없다면 억지로 이렇게 많은 면을 발행할 이유가 없는 것이다. 중국광고협회 자료에 따르면 2004년 중국 광고시장 총액은 1,200억 위안(15조 6천억 원)에 달했다. 이는 미국, 일본, 독일에 이은 세계 4위 규모이다.

중국 광고시장은 1990년 이후 15~20% 이상의 성장을 거듭해왔고, 이런 추세는 2010년 상해박람회까지 무난하게 이어질 것으로 전망된다. 중국 광고시장의 증가는 벌써 10년 넘게 고공행진을 계속하는 중국 경제발전에 기인한다. 광고 성장을 주도한 부동산이나 자동차 등 신흥 산업은 외자기업의 주도하에 빠른 성장을 거듭해왔다.

이전에 광고 최대 수혜자는 TV-신문-라디오-잡지 순이었다가, 최근에는 TV-신문-옥외-잡지-라디오 순으로 변하고 있다. 2008년 CCTV 전체 광고수입은 거의 160억 위안에 육박하였다. 이는 2007년에 비해 약 50억 위안이 증가한 것이다. 이는 TV 방송계가 발전하고 있음을 알 수 있고, 여러 미디어 가운데 TV는 제1미디어로서의 지위를 구가하고 있으며, TV 광고 마케팅 역시 지속적인 상승세를 보이고 있다.

TV 광고는 의류나 신발 같은 브랜드 기업에서 자동차, 전자 및 이동전화 등으로 다양하게 분포되어 있다. 광고주로 봤을 때는 부동산이 1위를 고수하고 있다. 다음은 약품과 식품, 그리고 자동차 광고와 화장품 광고가 그 뒤를 이었다.

신문 광고를 이끌어가는 가장 큰 힘도 부동산과 가전제품, 이동전화다. 『신경보』특집판의 5단 이상 광고를 분석해보면, 아파트 분양광고가 다수의 전면광고를 포함해 25개로 최다를 차지했다. 이어 건축자재 광고 19개, 오피스 광고 3개로 대다수의 광고가 부동산 관련

광고였다.

　TV와 신문 외에 주목할 분야는 인터넷시장의 도약이다. 2009년 중국의 인터넷 광고시장 규모는 2008년에 비해 21.2% 성장한 206.1억 위안에 달했다. 그리고 2010년 상해엑스포와 월드컵 등 대행행사가 개최되어 인터넷광고의 수입규모는 훨씬 더 성장하였다.

방송광고의 성장과정

　근대적 의미의 중국 광고는 아편전쟁(1840~1842) 이후 최초로 신문이 등장하면서 시작되었다고 할 수 있다. 물론 그 이전에도 중국에서는 전통적으로 주점酒店이나 여관客棧, 음식점 등의 간판이나 깃발, 휘장 등이 광고의 역할을 하였고, 비단, 종이, 그릇 등 오랜 전통을 지닌 상점의 간판, 현판 등이 광고 구실을 했으나, 대량선전과 판매촉진이라는 근대적 의미에서의 광고는 역시 신문의 등장과 함께 출발했다고 할 수 있다.

　1872년 상하이에서 창간된『신보新報』, 1893년 창간된『신문보新聞報』는 시간이 흐르면서 광고가 지면의 50% 이상을 차지하는 등 상당한 반응과 효과를 거두었다. 이에 비해 중국의 방송광고는 신문, 잡지보다 비교적 늦게 가동된 반면 개혁개방과 함께 가장 먼저 가열화되는 상반된 양상을 보이기도 했다. 중국에서의 방송광고, 즉 초기의 라디오 광고방송은 1920년대에 접어들어 서서히 방송기관이 늘어나면서 생겨나기 시작했으나 당시로서는 실험단계에 불과했다.

　그 이유는 라디오 방송의 기술적 수준으로 출력이 낮아 가청지역이 한정되었고 라디오의 보급조차 제한적으로 늘어나 광고효과를 크게 기대할 수 없었기 때문이다. 또 사회·경제적인 측면에서는 왕조의 몰락과 공화정의 탄생, 군벌의 등장과 중일전쟁, 국공내전 등으로 사회가 극도의 혼란으로 치달았고 그로 인해 경제는 사실상 파탄에 가까운 피폐상을 보였다.

따라서 진정한 의미의 방송광고는 1949년 중화인민공화국의 성립 이후에 자리 잡을 수 있었다고 말할 수 있다. 그러나 중국공산당이 집권한 1949년부터 제1차 5개년계획이 실시되는 1952년까지도 광고에 관한 한 그다지 괄목할 만한 진전을 찾기 어려웠다.

당시 중국의 산업구성비를 보면 1952년을 기준으로 농업인구가 83.5%, 공업인구 7.4%, 기타 서비스 부문이 9.1%에 달했다. 또한 국민 수입의 비중이라는 측면에서 보면 농업이 차지하는 비중이 57.5%, 공업이 23.1%, 서비스업이 19.2%로 상품광고의 주 대상이 되는 공업 부문은 취업인구나 수입 측면에서 모두 낮은 수준을 면치 못하고 있었다. 따라서 공업기반이 그런 대로 남아 있던 상해, 천진, 중경重慶, 서안西安 등 일부 도시지역에서만 '광고관리규칙' 등이 발포되어 시행에 들어갔을 뿐이었다.

중국공산당 집권의 초기 단계는 여전히 광고에 관한 인식이 자본주의의 소산이라는 점에서 다소 부정적이거나 미약했다고 할 수 있다. 그 이유는 공산당 집권 이전의 기업들은 주로 매판자본에 의해 성립되었기 때문에 광고가 부정적으로 인식되었고 집권 이후에는 전 산업의 국영화를 통해 국가에서 상품을 판매하였기 때문에 판매에 따른 광고의 인식이 집권층에 의해 다소 과소평가되었다고 볼 수 있다.

따라서 제1차 5개년 개혁이 시작되는 1952년부터 방송기관이 국영화되면서 광고도 점차 줄어들었으며 1958년부터 시작된 대약진大

躍進운동으로 사실상 중국의 광고시장은 휴면기休眠期에 들어갔다.

이후 1960년대 초에 중국 경제가 서서히 회복세를 보이며 대외무역이 늘어나자 중국 정부는 주요 도시에 대한 개방과 함께 중국 내의 외국인 광고를 허용하기 위해 주요 지침을 마련했다.

그러나 이와 같은 경제의 회복세와 정책의 유연성은 1966년 문화대혁명(文化大革命: 마오쩌둥의 주도로 1966년에서 1976년에 걸쳐 중국에서 일어난 대규모 사상, 정치 투쟁)이 시작되면서 다시 얼어붙고 말았다. 중국 학자들조차 문화대혁명은 광고에 관한 한 '재난'이었다고 지적하고 있다.

당시의 『인민일보人民日報』에 의하면 홍위병紅衛兵들은 "낡은 사상(舊思想), 낡은 문화(舊文化), 낡은 풍속(舊風俗), 낡은 습관(舊習慣)을 타파하기 위해" 맹렬히 공격했고, 대대로 내려온 거리인 '장안가長安街'를 '동방홍대로東方紅大路'로 바꾸는가 하면 '왕푸징백화점王府井百貨大楼'을 '베이징시백화점北東市百貨大楼'으로, 70여 년의 전통을 자랑하는 '취안취더全聚德' 북경오리전문음식점 이름을 '베이징오리점北京烤鸭点'으로 강제 개명했다.

이러한 현상들은 베이징에만 있었던 일이 아니라 상해, 천진 등 주요 도시에서 흔한 일이었으며, 공장이나 상가 등 전통적인 지명도를 가진 이름이 바뀐 것만 3천여 개가 넘을 정도였다. 이러한 분위기에서 광고에 대한 홍위병들의 시각은 '자본주의의 부산물'이며 '부패'와 '낭비'의 상징이기에 신문이나 방송에 광고를 싣는 것은 금지되어야 한다는 것이 그들의 생각이었다. 그 결과 중국의 광고시장은 문화대혁명이 끝나는 1976년까지 사실상 암흑기였다.

1976년 마오쩌둥 사후 이른바 사인방이 무너지고 덩샤오핑鄧小平이 복원되면서 중국은 10년에 걸친 문화대혁명의 긴 터널을 벗어났다. 1976년 3월 15일 저녁 중국 텔레비전은 스위스제 라도시계 광고를 1분간 방영했다. 1923년 중국에 라디오 방송이, 1958년 텔레비전 방송이 탄생한 이래 멀고도 긴 시간의 터널과 정치적 우여곡절을 거쳐 광고다운 광고가 다시 시작된 셈이다. 스위스제 라도시계 광고를 시작으로 일본의 올림푸스, 세이코 광고가 뒤따라 등장하면서 중국의 광고시장의 문이 활짝 열리게 되었다. 1979년 광고시장을 완전 개방했을 당시 중국의 광고업체는 몇 개 업체에 불과했으나 19년이 지난 1998년 광고회사만도 5만여 개를 넘어서는 급속한 신장세를 보였다.

중국의 광고조직은 크게 두 개의 범주로 나눌 수 있다. 하나는 국내 광고를 취급하는 광고기관이고, 또 하나는 수출입 무역을 취급하는 대외무역 광고회사로 국내광고는 중국광고연합총공사中國廣告聯合總公司가, 대외무역광고는 중국대외무역광고협회中國對外貿易廣告協會가 통괄하고 있다.

이 밖에도 텔레비전, 라디오 방송, 국가체육위원회, 철도청, 항공사 등 국영기업도 거의 상당수가 광고영업을 하고 있다. 특히 중앙텔레비전(CCTV)은 '중앙텔레비전광고부'를, 중국민항中國民航은 '중국민항선전광고공사中國民航宣傳廣告公社'를, 철도청도 '중국철도대외서비스공사'를 각각 별도 회사조직으로 운영하고 있다.

중국 광고체계의 두드러진 특징은 국영광고회사와 민영광고회사가 분리되어 있고 국내기업 광고요금과 외국기업 광고요금의 차별화를 볼 수 있다. 즉, 외국 광고주와 국내 광고주 간의 광고요금을 부분적으로 차별화하고 있다는 점이다.

최근에 와서 베이징이나 상하이 등 광고시장이 큰 지역에서 차별화를 철회하겠다는 주장이 나오고, 실제로 중앙텔레비전(CCTV)은 국내외 광고비를 단일화했고, 상하이지역에서 개별적(Case by case)으로 동등한 요금이 적용되고 있으나 매체별로는 여전히 차별요금을 적용하고 신문도 계속 차별화된 광고요금을 받고 있다. 한때 중앙텔레비전(CCTV)은 외국인 광고요금을 최고 8배까지 차별하여 요금을 적용한 적도 있다. 최근까지도 상하이를 비롯한 일부 지방에서는 여전히 차별적인 비싼 요금을 받기도 한다.

중국의 텔레비전 방송과 라디오 방송에서 방송광고의 허용시간은 구체적으로 명시되어 있지 않지만 일반적으로 10%를 초과하지 않는다. 또 지역과 방송사에 따라 방송광고 허용시간이 5%를 넘지 않는 곳도 있다. 상하이의 '상하이방송上海电视台'의 경우 광고방송은 총 방송시간의 5%를 넘지 않으며, '상하이동방텔레비전上海東方电视台'의 경우에도 10%를 넘지 않는다. 그러나 실제 광고방송은 허용시간을 다 채우지 못하고 있는 것으로 알려지고 있다.

중국의 광고비는 개혁개방정책과 함께 꾸준히 늘어나기 시작했다. 특히 1990년에 들어와 중국의 광고는 괄목할 만한 성장세를 보였고 텔레비전 광고는 폭발적으로 늘어났다. 1990년에 25억 위안에 달했던 중국의 광고비는 1991년에 35억 1천만 위안, 1993년 134억 1천만 위안, 1994년에 2백억 위안, 1995년에 273억 위안, 1996년에 366억 6천만 위안에 달해, 연평균 2배 이상에서 무려 1.5배 가까이 늘어났다.

중국 광고시장에서의 성장을 매체별로 보면 텔레비전과 신문광고가 가장 높고 라디오와 잡지 광고는 서서히 감소하는 추세를 보이고 있다.

중국 텔레비전 광고의 성장추이를 보면 1990년 5억 6천만 위안에 불과했던 광고액이 1991년에 10억 위안, 1992년에 20억 5천만 위안, 1993년에 29억 4천만 위안, 1994년에 44억 7천만 위안, 1995년에 64억 9천만 위안, 1996년에 90억 7천만 위안까지 치솟아, 8년간 무려 16배가 늘어났고 연평균 성장률도 2.3배를 넘어서고 있다.

이에 비해 라디오 광고는 1990년 8,600만 위안에서 1996년에는 8억 7,200만 위안으로 약 10배가량 늘었으나 최근에 성장률이 계속 하향세를 보이고 있어 텔레비전과는 다소 다른 양상을 보이고 있다. 라디오 광고의 성장률은 1990년 15.8% 선을 고비로 1993년에 75.4% 신장세를 유지하다가 1996년부터 18.3% 이하 수준으로 떨어지고 말았다. 중앙텔레비전방송은 운영비 대부분을 광고수입에 의존하고 있으며, 그 중에서도 채널 1의 광고수익이 전체 중앙텔레비전방송 광고수익의 80%를 차지하고 있다. 이 중에서도 중앙텔레비전의 저녁 7시 뉴스시간은 최고 시청률(69.8%)을 보이고 있어 중국에서 가장 높은 광고비를 자랑하고 있다.

이 밖에 북경텔레비전방송北京電視台, 상해텔레비전방송上海電視台, 상해동방텔레비전방송上海東方電視台 등이 서로 치열한 선두다툼을 하고 있다. 그 뒤에는 광동텔레비전廣東電視台, 천진텔레비전天津電視台, 강소텔레비전江蘇電視台 등이며, 최근 경제특구로 국내외 투자가 활발하게 이루어지는 지역들이다.

중국의 텔레비전 광고는 생활용품이 주종을 이루고 있다. 업종별로는 식품이 31.4%로 가장 많고, 그다음이 화장품 24.4%, 기호약품과 가전제품이 각각 20% 선을 차지하고 있다. 식품 가운데에는 마오타이주茅台酒를 비롯하여 술 광고가 의외로 많이 차지하고 있고, 화장품은 최근 중국 여성들에게 인기를 얻고 있는 샴푸 종류가 주종을 이루고 있다.

광고의 종류는 프로그램과 프로그램 사이에 들어가는 블록광고가 대부분이고 시간은 초 단위에서 분 단위까지 다양하다. 보통 30초가 기본단위이지만 5초, 15초, 20초, 30초, 45초, 1분 등으로 세분된다.

텔레비전 광고요금 가운데 가장 비싼 곳은 역시 영향력이 가장 큰 중앙텔레비전(CCTV)을 꼽을 수 있다. 이 밖에도 중앙텔레비전방송은 광고요금을 여러 가지 방식으로 적용하고 있는데 TV 시청률이 높은 법정 공휴일에는 광고비가 30%나 더 높게 책정되고 고정 프로그램은 광고비의 40%가 추가되며 5초짜리는 광고의 3분의 1 광고요금의 60%를 추가하기도 한다.

또한 광고수요가 폭주하는 뉴스 시간 전후와 일기예보 전후의 시간대에는 공개입찰을 통해 광고가격을 결정하기도 한다. 중앙텔레비전에서 가장 비싼 광고는 뉴스와 일기예보 사이에 끼어드는 광고로 초당 12만 위안짜리로서 연간 2억 2천만 위안에 팔리고 있으며, 개혁개방과 함께 급격히 늘어난 중국의 광고수요는 광고회사와 광고인력을 동시에 증가시켰다.

방송광고의 유통 현황

현재 중국의 모든 매체 상황으로 본다면 매체-광고대행사-광고주는 기본적인 광고 유통 패턴이다. 그러나 이런 패턴하에서 매체-광고주가 직접 거래하는 상황도 보편적으로 존재한다. 일반적으로 볼 때 매체-광고주가 직접 거래하는 것이 매체 총 영업액의 40%를 차지하고 있다고 조사되고 있다.

즉, 중국 광고 관련 법률에서는 광고주, 매체사, 광고회사 등 3자가 광고를 대행하는 것을 원칙으로 하고 있으나, 중국의 경우에는 매체사가 국가 소유이기 때문에 정부의 관리를 100% 받고 있는 실정이고 관리의 허술함을 틈타 매체사 자체 광고회사(하우스 에이전시의 형식)를 두어 일반 광고대행사를 거치지 않고 광고주와 직접 거래하는 경우가 비일비재하다고 볼 수 있다. 1987년 중국에서 '광고관리조례'가 제정되었고, 1988년 1월부터 '광고관리조례시행세칙(이하 세칙)'이 실행되었다. '세칙'의 15조에 따르면 국내 광고 업무를 대행하는 대행비용은 광고비의 10%이고, 외국기업이 중국에 와서 공고를 할 경우 외국기업에 광고비의 15%에 해당하는 대행비를 주어야 한다고 하였다.

이는 중국의 광고 관련 제도에서 광고 대행비에 대한 개념을 처음으로 언급한 것이다. 1993년 7월 15일 국가공상행정관리국에서는 '일부 도시에서 광고대행제도 및 광고발포 전 심사 시범 사업에 관한 의견'을 발표하여, 1993년 하반기부터 전국에서 광고대행제도 시범 사업을 실시하기도 하였다. 즉, 광고주는 광고대행사에 광고 대행 업무를 맡겨 광고홍보 계획을 실시해야 하며, 광고주가 직접 신문사, 라디오, TV 방송국과 거래하는 것을 금지하였다. 광고대행제도의 순조로운 실시를 위하여 1993년 2월 국가공상행정관리국에서는 '광고경영허가증 갱신에 관한 통지'를 발표하여 광고대행제도의 보급을 위한 기초를 마련하였다. 그리고 광고대행제도를 실시하기 위한 방법으로, 시범 대상을 선정하고 경험을 모색하며 단계별로 추진한 다음 전면적으로 보급하는 방침을 선택하였다.

중국 광고대행제도의 규정에 따르면 대행 자격이 있는 광고대행사는 광고주를 대신하여 광고매체에 광고비를 선지급할 능력이 있어야 한다. 따라서 만약 광고주가 광고비를 지불하기 어려울 경우 광고회사는 광고주를 대신하여 사전에 광고비를 지불해야 한다. 그 뒤 광고대행사는 광고주와 다시 광고비 정산을 해야 한다. 중국에서 광고대행제도를 실시하게 된 최초의 의도는 광고시장에 대한 규범화를 거쳐 광고시장이 건강히 발전하게 하기 위한 것이었다.

그러나 당시 광고대행제도를 실시할 수 있는 기초가 튼튼하지 못하였고 광고회사의 전반적인 경영 수준이 높지 못하였으며 매체만이 유독 유리한 고지를 독점하고 있었으므로 광고대행제도를 실시할 수 있는 환경이 충분하지 못했다. 현재 중국에서 전면적인 광고대행을 진정으로 실현할 수 있는 방송사는 유독 CCTV뿐이다. 기타 방송사들의 경우 대행제도를 부분적으로 실시하고 있고 대행제도를 실시하지 않는 경우도 많다.

16장

중국인 생활 속의 인터넷

중국이 '인터넷 대국'으로 탈바꿈하고 있다. 개혁개방 30년을 거치며 경제 규모와 국민생활수준이 높아진 덕분이 크다. 중국은 인터넷 이용자 수, 광대역 이용자, 국가 인터넷 도메인 수 면에서 세계 1위에 올랐다. 2008년 6월에는 이용자 수에서 미국을 따라잡고 세계 선두에 오른 데 이어, 인터넷 보급률도 처음으로 세계 평균 수준을 넘었다. 농촌 지역 네티즌 증가 속도가 도시 지역을 크게 앞지르면서 도농 간 격차를 점차 줄이고 있다. 인터넷의 각 응용 분야 승가율은 두 자릿수를 유지하고 있다. 네티즌 규모 급증으로 중국 인터넷 네트워크의 상업적 가치도 오르고 있다. 이 같은 추세는 앞으로도 계속 이어질 전망이다. 본문에서는 중국 인터넷 이용 현황과 인터넷 경제의 발전 전략과 광고 및 인터넷 통제 정책에 대해 소개하고자 한다.

중국 인터넷의 현황

중국에서 인터넷은 가장 중요한 대중매체가 되었다. 중국의 인터넷업계 단체인 중국 인터넷정보센터는 지난 2008년 6월 말에 중국 인터넷 이용자 숫자가 2억 5,300만 명으로 처음으로 미국을 앞질러 세계 1위가 되었다고 발표하였고, 2008년 말에는 2억 9,800만 명으로 증가하였다.

현재 중국의 포털사이트는 '신랑新浪(시나)'이 선두주자이다. 그러나 앞으로 '소후搜狐'가 앞설 거라고 전망하는 전문가들이 많다. 지금까지는 역사와 전통과 실적 면에서 신랑(www.sina.com)이 단연 앞서고 있지만, 중국 포털 산업의 미래는 소후(www.sohu.com)에 더 있을 것이라는 말이다. 특히 최근 인터넷 포털들을 먹여 살리는 광고업계의 동향을 보면 이를 실감할 수 있다.

소후의 성장에 대해 세계 언론도 주목하고 있다. 미국의 블룸버그 통신은 2006년 2월 7일 소후닷컴의 2005년 4분기 실적을 크게 다뤘다. 블룸버그는 소후닷컴의 순이익이 한 해 전 같은 기간에 비해 37%나 증가했으며, 이는 특히 광고매출의 급상승(28%)에 힘입은 것이라고 보도했다. 이에 따라 이 회사는 4분기 순이익이 890만 달러(약 89억 원, 주당 23센트)를 나타내 1년 전의 650만 달러(약 65억 원, 주당 17센트)를 웃돌았다고 말했다. 블룸버그에 따르면 이는 월가 애널리스트들이 당초 예상했던 주당 순이익 21센트를 웃도는 것이다. 같은 기간 소후닷컴의 매출은 일 년 전에 비해 27% 늘어난 3,050만 달러(약 305억 원)로 집계됐다.

블룸버그뿐만 아니라 중국 현지와 세계 언론들은 소후닷컴의 상승을 매우 놀라워했다. 월스트리트저널이나 뉴욕타임스·워싱턴포스트·AP통신 등 미국의 유수한 언론들은 물론, 영국의 로이터통신 등 세계 각국의 신문·방송·통신들이 소후닷컴의 급상승을 주요 기사로 타전했다.

물론 여전히 현재 포털업계 방문자 수 1위는 시나닷컴이다. 2005년 중국 사회과학원이 '2005년 중국 5개 도시 인터넷 사용 현상 및 영향 조사보고'를 통해 공개한 보고에 따르면 16세에서 65세 사이의 2,376명 가운데 30.9%가 가장 먼저 방문하는 사이트로 조사됐다. 소후닷컴은 시나에 이어 2위였는데, 그 격차는 상당히 컸다. 문제는 미래의 강자가 누구냐는 것이다.

그러나 중국 IT계 전문가들 사이에서는 소후에 핵심이 결여되어 있다는 분석도 나온다. 베이징에 있는 IT 관련 한 분석가는 "포털 중에서 신랑은 뉴스에 강하고 네티즌은 게임에 강하지만 소후는 어떤 분야에서도 최고의 칭호를 단 게 없다"고 지적했다. 이 분석가는 "그냥 그런 인터넷업체일 뿐이다. 네티즈닷컴을 보라. 해마다 100% 이싱의 싱장률을 보이고 있지 않은가"라면서 30%를 초과하는 소후의 급성장이 놀라울 일도 아니라는 말도 했다.

하지만 소후는 네티즌 같은 업체와는 비교도 되지 않는다. 규모가 큰 기업의 1% 성장이 작은 업체의 100%보다도 위력적일 수 있기 때문이다. 이미 대부분의 분석가는 중국 내 인터넷 포털업체의 뉴스 공급은 특성상 네티즌들에게 지속적인 재미를 보장해주기 어려우며, 게임시장은 중국 당국의 규제가 워낙 심해 발전에 제약요인이 많다는 점을 지적한다. 그 때문에 중국시장에서 열풍을 몰고 오는 광고시장의 급성장이 소후닷컴의 성장을 보장해줄 것이라는 분석이 나오고 있다.

지난 5년간 중국 내 광고시장은 인터넷 포털매체에 안정적인 수입원으로 자리 잡았다. 특히 시나와 소후, 왕이 등 3대 포털에는 더더욱 그렇다. 여전히 시나의 광고수입이 총액 기준으로 가장 많지만 소후가 그 뒤를 바짝 쫓고 있다.

중국의 온라인마케팅 효과 조사기관인 아이리서치(iResearch)가 2006년 2월 9일 공개한 자료에 따르면 중국 인터넷 포털매체가 2005년 한 해 동안 벌어들인 광고수익은 약 31.3억 위안(3,756억 원)이다. 이 중 시나가 6.8억 위안(21.7%)으로 1위를 차지했고, 소후가 4.7억 위안(15.0%)으로 2위, 왕이綱易가 2.5억 위안(8.0%)으로 3위를 기록했다.

한편 중국 인터넷 광고의 5대 광고주는 IT, 인터넷서비스, 이동통신, 자동차, 부동산 순이다. 중국 인터넷 광고는 최대의 포털 사이트인 '신랑 www.sina.com.cn'을 필두로, 나스닥에서도 상장한 검색엔진인 '바이두 www.baidu.com' 등에서 강세를 보였다. 그리고 인터넷매체의 가치가 점차 광고주들의 인정을 받아 동영상 사이트, 커뮤니티 사이트 등 신매체의 가치가 상승세를 보였다. 특히 이러한 인터넷매체들은 2009년 이후 인터넷 광고시장의 주요한 성장점으로 떠올랐다.

인터넷 사용자 규모

중국은 1994년부터 국제 인터넷에 접근하여 2011년 12월 말에는 인터넷 사용자들이 5억 명을 넘어 5.13억 명에 달했다. 한 해 사용

자들이 5,580만 명 증가했다. 인터넷 보급률은 2010년 말보다 4%
증가해서 38.3%에 달했다.

지난 5년간 중국 인터넷 사용자의 증가를 보면 2006년 인터넷 보
급률이 10.5%부터 시작해서 해마다 6%씩 증가하여 2008년과 2009
년 인터넷 사용자들이 9,000만 명 증가했다.

지금은 나이, 교육수준, 수입수준 등에 따라 인터넷 보급률의 차
이가 나타나고 있다. 나이별로 보면, 지난 5년간 10~29세 사람들은
인터넷 보급률이 고도성장을 하는 데 비해 50세 이상 사람들은 사
용률이 크게 변화하지 않았다. 그런데 30~39세 연령대의 인터넷 사
용률은 점차 증가하고 앞으로 계속 증가할 수 있을 것 같다.

학력 면에서 살펴보면, 전문대 학력 및 전문대 이상의 사람들은
인터넷 보급률이 96.1%에 달하였다. 지난 5년간 고학력자들의 인터
넷 보급률이 크게 증가해서 90.9%에 달하는 데 비해 학력이 낮은
초등학력자들의 인터넷 보급률은 성장이 매우 느렸다.

광대역인터넷 사용자는 2011년 12월 말에 중국 가정용 인터넷 컴
퓨터 사용자가 3.92억 명이 되었다. 지역 인터넷 사용자 규모를 살
펴보면, 2011년 중국은 지역마다 인터넷 사용자들이 대폭 증가했다.
중국 대륙에 성(시, 자치구)이 31개 있는데 인터넷 사용자가 1,000
만 명을 넘는 성은 21개가 있다. 그 중 북경시의 인터넷 보급률은
70.3%에 달하지만 운남성이나 귀주 등지의 인터넷 보급률은 매우
낮아 25%도 안 된다.

2011년 글로벌 인터넷 보급률인 30.2%와 비교해볼 때 이 수준을
넘는 중국의 성은 21개가 있고 2010년 말보다 약간증가했다. 이 21개
지역 중에 북경北京, 상해上海, 광동廣東, 복건福建, 절강浙江, 천진天津, 요

녕遼寧, 강소江苏, 신장新疆, 산서山西, 해남海南, 섬서陝西 등의 인터넷 보급률은 전국 평균 수준보다 높았다. 2011년 상해와 광동성의 인터넷 사용자 규모가 전국 1, 2위에 달했다.

그리고 산동山東, 호북湖北, 중경重慶, 청해青海, 하북河北, 길림吉林, 내몽고內蒙古, 닝샤寧夏, 흑룡강黑龍江 등 9개지역의 인터넷 보급률은 글로벌 평균 수준보다는 높지만, 중국 인터넷 보급률보다는 낮았다.

글로벌 평균 수준보다 낮은 성은 서장西疆, 호남湖南, 광서廣西, 사천四川, 허난河南, 감숙甘肅, 안휘安徽, 운남雲南, 강서江西와 귀주貴州 등 10개 지역이 있다.

중국 인터넷, 광고 매체로 급성장

중국 인터넷이 광고 채널로 급부상하고 있다. 중국 내 여론 주도 역할에서 전통 매체에 비해 영향력을 키워가고 있는 인터넷이 광고 분야에서도 크게 주목을 받고 있다. 인터넷은 중국에서 TV, 신문, 잡지와 함께 4대 매체로서의 위치를 확고히 다지는 동시에, 광고 분야에서도 전통적인 광고에 비한 우위가 두드러지고 있다.

중국에서 날로 빠르게 늘고 있는 인터넷 이용자와 인프라는 인터넷 기반 광고의 발전을 뒷받침하고 있다. 인터넷상에서는 뉴스를 비롯해 전자우편, 블로그, 동영상, 게임, 커뮤니티 서비스 이용이 크게 늘고 있다. 중국 네티즌 가운데 84%는 인터넷을 '제1의 미디어'로 여기고 있을 만큼 사회적 영향력이 커졌다. 이 때문에 인터넷을 주요 마케팅 수단으로 활용하는 기업이나 고객이 빠른 속도로 늘고 있다. e비즈니스 발전에 따라 인터넷 광고가 기업의 마케팅에서 차지하는 지위와 가치는 갈수록 중요해지고 있다. 또한 기업과 광고주들은 경기 침체 속에 전통 매체에 대한 광고는 줄이는 상황에서도 인터넷 광고에 대한 투자 확대를 추진하고 있다. 이를 바탕으로 중국에서 인터넷 기반 광고시장은 쾌속 성장하고 있다.

한편 시나닷컴과 소후닷컴 등은 미국 나스닥에 성장되어 있을 뿐아니라 이들 주식은 외국 기업 가운데 상당히 인기가 많은 종목 가운데 하나이다. 이런 인기는 중국 국내에도 그대로 전이되어, 일부 인기 광고의 위치는 그 가격이 이미 하루 수십만 위안에 달한다. 예약도 수개월 전에 해야 간신히 자리를 얻을 수 있다.

소후의 경우 지금까지 두 차례에 걸친 인수합병으로 최근 수년 동안 비약적으로 발전해온 업체다. 이 때문에 소후는 시나와의 격차를 해마다 줄이고 있다. 또 검색엔진이 온라인 광고시장에 진입했고, 검색엔진과 포털을 함께 공유한 소후의 역할이 그만큼 커지게 됐다. 이와 함께 클릭 수에 따라 비용을 지불하는 PPC(Pay Per Click) 광고가 2004년까지만 해도 기업의 특수한 홍보 형식으로 인식되어 왔지만, 2005년부터는 포털과 검색엔진 광고의 한 특성으로 자리 잡았다. 이는 온라인 매체들의 '광고효과'와 이에 대한 기대수준의 상승에 따른 것이다.

또 전문 온라인 매체의 수량이 급증하고 자원의 통합이 이루어지고 있는 추세도 포털업체들의 광고효과 증대에 영향을 미치고 있다. 특히 네티즌들의 이용횟수와 사용량이 바로 포털업체들의 수익과 직결된다는 점에서 최근 중국 내 증가 일로를 걷고 있는 인터넷 이용자 수의 급증은 바로 광고효과로 직결되며 이것이 광고주들로 하여금 인터넷 업체들에 관심을 갖게 하는 요인이 된다.

그러나 2005년 들어 변화가 일어나고 있는데, 중국 최대 점유율을 차지하고 있는 검색엔진은 바이두로 등록되었다. 특히 중국의 수도인 북경에서는 55%의 과반수의 인터넷 이용자가, 최대 국제도시 상해에서는 43%의 이용자가 검색엔진 이용 시 바이두를 사용한다는 통계가 나왔다(출처: CNNIC, 2005.8).

이러한 바이두의 영역 확장 및 점유율 상승은 해를 더할수록 늘어나고 있는 실정이다. 바이두 이외에도 글로벌 검색엔진인 Yahoo China, Google China가 그 뒤를 이어 점유율 상위에 기록되고 있는 것을 볼 수 있다. 중국 검색엔진을 이용하는 목적에 따라 선택하는 검색엔진에도 차이가 있다. 웹페이지 및 웹사이트 서치를 할 때나 사전 및 백과사전 검색을 할 때에는 Google China의 이용이 가장 많고, 그 다음으로 바이두를 이용하는 것으로 나타나고 있다. 반면에 음악을 듣거나 다운로드를 받을 때는 바이두 검색엔진 이용이 가장 많은 것으로 나타나고 있다. 이 외에도 쇼핑 또는 비즈니스 정보 수집은 구글, 소후, 바이두 순으로 나타나고 있다.

2009년 중국의 인터넷 광고 수입액이 2009년에 206.1억 위안에 달하였다. 이 중 4대 포털사이트의 인터넷 광고 수입이 일정하게 늘어났지만 신흥 인터넷매체의 등장으로 브랜드 인터넷 광고를 위주로 하는 포털사이트의 시장점유율은 줄어들었다. 텐센트(http://www.tencent.com)는 시장점유율을 유지하였으나, 나머지 3대 포털사이트의 광고수입 시장점유율은 하락세를 보였다. 그 중 시나는 2008년에 비해 3% 포인트 하락한 7.5%에 달했고 소후는 5.9%, 163은 1.5%밖에 안 되었다. 또 2009년 중국의 검색엔진 광고시장 규모는 69.5억 위안에 달하였다. 그중에서 바이두의 시장점유율은 21.3%로 2008년에 비해 2.5% 포인트 상승하면서 핵심매체 시장점유율 1위를 차지했다.

중국 인터넷 기반 광고시장 규모는 정부기관과 시장조사업체 사이에 차이를 보이고 있지만, 꾸준히 증가세를 이어갈 것으로 예상된다. 중국인터넷데이터센터 3월 자료에 의하면, 2008년 중국 인터넷 광고시장 규모는 전년 동기 대비 63.1% 성장, 169억 8천만 위안을 기록해 전체 광고시장(2천201억 위안) 규모의 7.7%를 차지했다. 베이징올림픽의 영향을 크게 받아 8월과 9월 중 인터넷 광고시장이 급속히 증가했다.

시장조사업체인 아이리서치(iResearch) 컨설팅은 중국 광고시장 전체 규모가 1천900억 위안에 달했고, 이 가운데 인터넷 광고는 185~190억 위안으로 전체의 10%를 차지했다고 밝혔다. 인터넷 광고가 전체 광고시장에서 차지하는 비중은 2006년 5%에서 2009년 13%가 넘었다.

중국에서 인터넷 광고시장은 키워드광고를 비롯해 포털사이트, 인터넷 동영상광고, 인터넷 게임광고, 인터넷 커뮤니티광고, 모바일 광고 등으로 나눠진다. 중국인터넷데이터센터 조사에 따르면, 각 부문 모두 고르게 빠른 성장세를 보이고 있다.

중국 인터넷 경제의 발전 전략

중국 인터넷 경제가 더욱 발전하려면 첫째, 제품경쟁력을 제고하고, 둘째, 핵심기술을 개발해야 하며, 셋째, 정보소양을 갖춘 인재를 배양하고, 넷째, 인터넷 경제를 뒷받침하는 인프라를 구축해야 한다. 중국 인터넷 사용자 수는 미국을 따라가지만 온라인 환경과 인터넷 경제발전은 선진국과 격차가 있다.

인터넷 경제는 새로운 시장환경을 만들고 유지한다. 제품시장 확보는 기업의 생존, 발전의 생명선이다. 인터넷 경제의 시장변화는 매우 빠르다. 이런 배경 및 환경에서 기업이 오래 살고 싶으면 시장점유율보다 시장변화 상황에 대한 연구가 더 중요하다.

또한 인터넷 경제시대에 인재, 기술, 자금, 하드웨어 시설 등을 같이 결합해서 연합된 이윤조직을 구성해야 한다. 그전의 전통생활방식 및 경영방식도 바꿔야 한다. 예를 들면, 델 회사는 인터넷을 통해 컴퓨터를 판매하고 많은 젊은 사람들에게 아이디어 DIY(Do It Yourself)를 완벽하게 제공한다. 사용자가 스스로 선택하는 부품을 허용한다. 설계, 제조 및 판매 등 전 과정은 고객의견 및 요구응답을 출발점으로 한다. 동시에 온라인상 거래를 통해 물류비용을 많이 줄이고 가격 경쟁력이 강해져 델 회사는 더욱 성공경영을 하게 된다.

인터넷 발전에 따라 다양한 인터넷 포털 사이트가 사람들의 눈에 어지럽게 나타난다. 그런데 내용이 비슷하고 서로 모방하는 현상이 나타난다. 간단한 모방은 일반적으로 중복투자라고 한다. 그리고 자원의 거대한 낭비와 부당경재도 생길 수가 있다. 이런 경쟁은 중국 인터넷 서비스업의 발전에 좋지 않다. 그 때문에 인터넷 경제를 발전시키기 위해서는 핵심기술을 개발해야 한다.

또한 정보화, 글로벌화의 인터넷 경제 시대에 정보소양이 있는 첨단인재를 양성하는 것은 긴박한 문제이다. 장기적인 안목을 갖고 인적 자원 관리제도를 제대로 정립하여 훌륭한 인재를 육성하는 것은 중국 인터넷 서비스업 발전의 전제가 되어야 한다.

한편 네트워킹 제품사용과정에 대한 문제들이 시장 메커니즘에만

의존하면 해결되지 못한다. 인터넷 경제의 외부성, 규모경제, 호환성 등 특성은 공공정책의 중요한 대상이 되기도 한다. 현재 중국 인터넷 산업운영은 효과적인 법률, 제도 등 인터넷 인프라가 부족하다. 그런 운영법규제도를 세운다면 인터넷 인프라의 적시성 및 유효성을 구현하고 인터넷의 운영규정을 완성할 수 있다. 실용적인 방법은 충분한 경험을 축적하고 기존의 법률을 개정하거나 새로운 법률을 제정한다. 인터넷 경제의 인프라 구축에 대한 정부의 책임이 중요해지고 있다.

중국 인터넷 통제 정책-감시인력 200만 명

중국 당국은 최근 국가의 규칙을 따르지 않는 앱을 금지한다고 발표했으며, 이는 '허위정보' 또는 금지된 외국 사이트의 뉴스를 게재하는 앱 등을 겨냥한 것이다. 중국에는 인터넷 검열의 아버지로 불리는 팡방싱方浜興이 겨냥한 악명 높은 인터넷 검열 시스템 '방화장성 (Great Fire Wall: GFW, 만리장성+방화벽)'이 있다. 그러나 일부 앱들은 종종 방화장성을 우회하여 금지된 사이트 및 정보에 접근하려고 시도한다. 이러한 움직임에 대해 중국 국무원성은 앱 개발자들을 대상으로 방화장성 우회 방법을 수정하라고 요구하는 성명을 발표했다. 국무원성이 가장 문제 삼고 있는 것은 포르노와 음란 정보를 제공하고 젊은이들의 몸과 마음의 건강에 나쁜 영향을 주고 있는 앱이지만, 사실상 더 주목하는 것은 '허위 정보를 공개하는 앱'도 대상에 포함되어 있다.

국무원성이 겨냥한 앱 중 하나는 'Zaker'로, 이는 마이크로 블로그, 뉴스, 블로그, 신문, 잡지 등의 콘텐츠를 모아주는 앱이며, 2011년

5월 중국에서 차단된 Flipboard의 대안으로 인기를 모으고 있다.

중국에서는 2012년에 Sina.com 등 서비스 제공업체들이 '소문을 막지 못한다'는 이유로 징계를 받은 바 있으며, 5억 명이 등록되어 있는 마이크로 블로그 사이트인 'Weibo(웨이보)'가 모든 소문을 제거한다는 명분하에 며칠 동안 폐쇄된 바 있다. 차이나 데일리에 따르면, 중국에서는 2012년 2월부터 4월까지 2개월여 동안 총 1,065명이 인터넷상의 소문에 관련된 죄목으로 체포되었다고 보고하고 있다.

인터넷을 관리하는 법률도 개정되어 마이크로 블로그와 포럼에서는 개인이 실명으로 글을 등록해야 한다는 규칙이 추가되었다. 게다가 중국 대법원은 만일 인터넷상에 유포한 허위 소문이 5,000건 이상의 방문을 받거나, SNS에서 500번 이상 언급된 경우, 소문을 낸 발신자를 3년간 투옥할 수 있다고 판결했다. 중국 대법원의 홍보 담당 부서는 이런 판결에 대해 "다른 사람에게 중상을 입히는 행위를 언론의 자유로 하는" 나라는 없을 것이라고 그 배경을 설명하고 있다.

영국 BBC가 중국 국영 베이징 뉴스를 인용해 보도한 내용에 따르면 중국 정부는 인터넷상의 소문 유포자 감시를 위해 200만 명 이상을 고용했으며, 이들 감시원은 정부로부터 임금을 받고, 미니 블로그의 댓글을 수집 및 분석하여 당국의 의사 결정자에게 보고하는데, 인터넷상의 의견을 분석하는 이들을 '애널리스트'라고 표현되기도 한다.

또한 이 같은 사실을 통해 최근 정부에 대한 비판과 불만을 토로하는 미니 블로그 사용자가 증가하고 있는 현상에 대해 중국 정부가 적극적으로 소셜 미디어의 검열을 수행하고 인터넷 통제를 강화하고 있음을 알 수 있다.

구성희(具聖姬) —————————————————————

숙명여자대학교 사학과를 졸업하고, 국립대만대학교 역사과에서「漢晉的塢壁」으로 석사
학위를 취득하였으며, 북경대학교 역사과에서「論漢人對死的態度」로 박사학위를 취득하
였다. 국내외 여러 대학의 연구교수와 연구원 및 북경대학교 전임강사를 역임하였으며,
현재 숙명여자대학교에서 강의하고 있다.

「先秦時代 生死觀과 魂魄說의 관계」
「先秦時代 生命起源說 중의 氣生萬物說」
「漢代人의 鬼神觀念과 巫者의 역할」
「한대의 厚葬風俗과 薄葬論」
「漢晉塢壁의 성질 및 기능」
「한대의 영혼불멸관」
「한비자 통치론의 역사적 공헌」
「한비자 정치사상의 역사적 의의」
「한비자의 통치론」
「漢晉塢壁에 관한 연구」
「漢代 喪葬禮俗에 표현된 영혼관과 귀신관」
「略論漢代人的死後地下世界形象」
「중국혁명의 여성리더 등영초」
「근대 중국여성해방운동의 선구자 추근의 리더십」
「등영초(1904~1992)의 리더십」
「하향응(1878~1972)의 리더십」
「女性革命家何香凝的領導能力」
「鄧穎超的領導能力及其對中國社會的影響」
「韓非子統治論在歷史上的進步性與貢獻」
「한고조 劉邦의 인재활용술과 리더십」
「劉備의 人才관리와 리더십」
「曹操的用人之道與管理思想」
「漢高祖劉邦的人才管理術」
「난세의 영웅 위무제 조조의 인재활용술과 리더십」
「한대인의 영혼관과 사후세계관」
「티베트에 문명을 전파한 당나라 문성공주의 역사적 지위」
「중국역사상 최초로 정권을 잡은 여성-전한의 여후」
「화친을 위해 흉노로 시집간 한나라 왕소군의 역사적 공적」
「남자황제보다 뛰어난 당나라 여황제 측천무후의 역사적 공적」

『漢代人的死亡觀』(2003)
『兩漢魏晉南北朝的塢壁』(2004)
『한당변속체제연구』(2007, 공역)
『아주 특별한 중국사이야기』(2008, 공역)
『리더들의 리더가 된 중국의 제왕들』(2009, 공저)
『고대 중국의 제왕』(2011)
『한 권으로 읽는 중국여성사』(2012)
『중국여성을 말하다-가려진 중국여성들의 생활사』(2013)

중국문화 한 권으로 끝내기

중국의
전통문화와 대중문화

초판인쇄   2014년 5월 8일
초판발행   2014년 5월 8일

지은이   구성희
펴낸이   채종준
펴낸곳   한국학술정보㈜
주소   경기도 파주시 회동길 230(문발동)
전화   031) 908-3181(대표)
팩스   031) 908-3189
홈페이지   http://ebook.kstudy.com
전자우편   출판사업부   publish@kstudy.com
등록   제일산-115호(2000. 6. 19)

ISBN   978-89-268-6191-2 03910

이담 는 한국학술정보㈜의 지식실용서 브랜드입니다